L'AMOUR EN PARTAGE

MAGUY LEBRUN

L'AMOUR
EN PARTAGE

ROBERT LAFFONT

ISBN 2-221-06947-1

QUATRE ANS APRÈS

Des milliers de lettres...
Des sacs postaux de courrier.
Des appels téléphoniques innombrables, encore aujourd'hui.
Des destins bousculés, basculés...
Tous ces amis inconnus de tous pays.

A ceux qui sont morts dans la paix.
A ceux qui ont retrouvé la santé.
A ceux qui ont retrouvé la foi.
*A ceux qui ont retrouvé le chemin de leur église, de leur
temple, de leur mosquée, de leur synagogue.*
A ceux qui participent aux groupes d'accompagnement.
*A ceux qui ont compris que le même sang rouge coule dans les
veines de tous les hommes.*
Aux médecins qui nous aident avec leur art et leur cœur.
A ceux qui ont été déçus par mon impuissance à les aider.

JE DÉDIE CE LIVRE.

Préface

Comme la plupart, j'ai connu Maguy par le hasard des librairies, grâce au titre séduisant mais aussi un peu provocant de son premier livre, *Médecins du ciel, médecins de la terre*. Médecin moi-même, je ne pouvais rester indifférent au titre, à la démarche. Pourtant les premières lignes agaçaient : encore une histoire de médiums, de guérisseurs !... Pendant de longues semaines, accaparé par la routine quotidienne, je n'y pensai plus, comme si le monde invisible, respectueux de nos réactions, n'insistait pas ! Mais soudain, à l'occasion d'un court voyage, je redécouvre le livre que je dévore. Dès le retour, je décide de rencontrer Maguy Lebrun. Le Minitel, c'est bien commode ! Saint-Nazaire-les-Eymes, ce n'est pas bien sorcier à trouver. Deux jours plus tard, Daniel me prenait en gare de Grenoble et je passais une délicieuse journée de fin d'été en compagnie de Maguy et Daniel qui déménageaient... leur maison dont il est si souvent question dans l'ouvrage ! Mais non, ce n'était pas la fin. C'était seulement une page que Maguy et Daniel tournaient, parce que dès lors une autre mission les attendait.

Et durant cette belle journée d'été, nous parlions comme de vieux amis. Rien n'était particulier. Les

« enfants » arrivaient, passaient. Bonjour ! Sans présentation nécessaire, comme si nous nous connaissions de longue date. Sans aucune difficulté, nous mettions en commun une rencontre possible dans une « vie antérieure ». Très vite, nous abordâmes le problème qui nous préoccupait : l'accompagnement des malades graves ; pour ma part, les prématurés en détresse vitale et les nourrissons à risque de mort subite.

Trois ans ont passé depuis cette époque. Beaucoup d'événements se sont produits, source d'une connaissance, chaque fois meilleure, du message de Maguy. Étonnante Maguy, que dès la première rencontre on a l'impression de connaître depuis toujours. Sa gentillesse, sa simplicité, sa modestie, et surtout sa bonté, son débordement de bonté et d'amour en font une référence constante dans toutes les situations, dans toutes les difficultés. Maguy, je te vois, je t'entends réagir à ce compliment qui n'en est pas un ! Je connais ton œil rieur, ta gêne presque un peu satisfaite malgré tout. Pourtant tu le sais bien, que ce n'est pas toi qui es en cause. Tu nous le répètes sans cesse, tu n'es qu'un « canal ». Nous ne sommes que des canaux, des intermédiaires. Comme tu as raison ! Ton attitude à chaque instant est un témoignage de ton message principal, de celui que je crois avoir reçu : « Être à l'écoute du monde invisible, se laisser guider par eux, accepter de n'être qu'un intermédiaire pour participer à la diffusion de l'amour cosmique, surtout vis-à-vis des malades, de chacun de nous en " détresse ". »

Dans ce message simple en apparence, je vois deux étapes fondamentales pour l'homme du xxᵉ siècle, de plus en plus bridé, limité par un matérialisme envahissant.

Être à l'écoute du monde invisible, c'est en tout cas toi

qui l'as été un peu malgré toi, il y a près de trente ans, lorsque Daniel, la veille d'un 1er mai, acceptait d'être le canal médiumnique pour ton premier « guide spirituel » qui, comme tu le rapportes, te demandait « de ne guérir les corps qu'en guérissant les âmes, car c'est le but que nous poursuivons : élever le niveau spirituel de ceux qui viennent vers toi et amener les âmes à Dieu ». Sans doute as-tu sciemment rédigé cette première relation de façon à provoquer, brusquer, voire même choquer le lecteur moyen, quitte à lui faire abandonner sa lecture. Combien ont réagi ainsi ? Il y a tant d'hommes attachés à cette logique désespérante qui veut que n'existe que ce qui est démontrable par des lois d'une physique newtonienne bien peu adaptée à la marche de notre fin de siècle. Car il est difficile de ne pas admettre que le monde invisible existe, peuplé d'entités de toutes sortes, de tous niveaux. Les témoignages, sinon les preuves, sont apportés sans cesse par des articles, des livres, des rapports dont certains sont même signés par des autorités religieuses (voir entre autres : *Les morts nous parlent* de F. Brune).

Bien sûr, tous n'ont pas la chance d'avoir leur « Daniel-médium », ou toute autre manifestation matérielle de cette communication. Mais c'est là justement que Maguy nous conseille. Il nous suffit de demander et d'être à l'écoute, c'est-à-dire finalement de prier. La prière n'est pas ce monologue abstrait dirigé vers un être, parfois terrible, que certains appellent Dieu. La prière n'est pas seulement cette onomatopée dictée par une « religion » presque toujours sectaire, restrictive, isolationniste, quelle que soit son appellation chrétienne, judaïque, bouddhique, islamique, hindouiste ou autre. Ton message apporte la *notion d'universalité*. Tes groupes de prières ne sont pas restrictifs, ils sont composés de personnes de toutes classes, de toutes nationalités, de toutes couleurs, surtout de toutes confessions, à condition qu'elles acceptent cette référence à l'entité universelle ou cosmique que certains appellent Dieu, à condition aussi qu'elles acceptent la deuxième partie du message : « *N'être qu'un intermédiaire pour participer à la diffusion de l'amour cosmique.* » Là est bien la partie essentielle, fondamentale, de ton message : « accepter de participer à l'amour universel », cet amour qui est à la source de notre vie et auquel aboutissent toutes les réflexions, tous les modes de vie, toutes les philosophies qui acceptent de situer honnêtement l'homme dans sa réalité cosmique.

David Bohm, élève d'Einstein, n'a-t-il pas déclaré : « Le principe fondamental de l'univers est une énergie d'amour. » Einstein lui-même, après avoir fustigé le subtil Bergson venu l'interroger à la Sorbonne sur l' « intuition » et le « vécu », n'a-t-il pas écrit plus tard dans sa correspondance : « L'émotion la plus magnifique et la plus profonde que nous puissions éprouver est la sensation mystique : celui à qui cette émotion est étrangère, qui ne sait plus être saisi d'admiration ni éperdu d'extase est un homme mort [1]. » Heureusement, ton message n'est pas aussi succinct, donc difficile à mettre en pratique. Tes deux livres, tant *Médecins du ciel, médecins de la terre* que celui-ci, *L'Amour en partage,* sont justement consacrés à nous donner les moyens d'être les intermédiaires, les canaux, les passages de cet amour divin. C'est ainsi que tu nous rappelles que de tout temps l'homme a été un instrument. Sans doute Jésus, pour les Occidentaux, a-t-il été

---

1. In *Correspondance d'Einstein,* Art Yoga 1975, Les Presses de la Connaissance, Paris.

le plus grand des guérisseurs. Par ses guérisons specta-
culaires, mais surtout par son message « Aimez-vous les
uns les autres », il a voulu rappeler que chacun d'entre
nous a pour mission d'aider l'autre, de l'extraire de
toutes ces inhibitions créées par notre mental, notre
corps physique restreint, étriqué.

Edgar Cayce, un autre grand guérisseur, est un
exemple parfait de ce que tu recommandes. En se
mettant en état de « transe » que certains qualifient de
« conscience élargie », il arrive à supprimer totalement
les influences inhibitrices de son corps physique, à la
fois astral et surtout mental, pour permettre la libre
circulation, la manifestation de cet amour. Ces paroles
peuvent paraître insensées pour un esprit cartésien
occidental. Je ne fais que citer Cayce lui-même lorsqu'il
répondait à la réalité de ce pouvoir immense ; propos
qui ont été entendus, enregistrés et officialisés légale-
ment dans les archives de l'Edgar Cayce Foundation
Medical Research Division, dans l'État de Virginie,
USA[1].

Ainsi tout se passe bien quand nous acceptons, avec
une modestie et une soumission totales, de n'être que
des intermédiaires sans aucune intervention de notre
ego qui risque rapidement de fausser les données
lorsque apparaît le moindre soupçon de satisfaction,
d'orgueil et/ou d'intérêt personnel, destiné justement à
satisfaire cet ego.

Grâce à toi, Maguy, nous prenons conscience de cette
condition très particulière. Tu nous rappelles sans cesse
qu'il n'est pas question de mettre à notre compte
personnel les « qualités de guérisseur », que chaque

1. In *The Edgar Cayce Remedies* par le Dr William Mc Garey,
1980.

« guérisseur » doit être très vigilant sur ses capacités. C'est là que la bonne logique occidentale prend son intérêt et qu'il ne peut être *à aucun moment possible* de s'en passer. Il n'est certainement pas question de s'en remettre totalement et sans réserve à certains de ces guérisseurs, malheureusement transformés en charlatans du fait de l'importance prise justement par l'orgueil et/ou l'intérêt, deux caractères totalement inconciliables avec la mission que tu nous donnes.

Une partie importante de ton message concerne la mort et l'accompagnement des mourants. En tant que responsable d'une unité de soins intensifs pour nouveau-nés en détresse vitale, je voudrais apporter, pour finir, le témoignage de toute une équipe de soignants, donc d'accompagnants, tant infirmières et médecins que parents.

En effet, dans notre conception occidentale de la vie, la plupart des parents et soignants ont du mal à comprendre et à accepter la mort d'un être qui vient à peine de naître. Combien de fois, dans notre service de réanimation néonatale, cette mort a été considérée comme un échec, soulevant la déception, voire la colère, devant notre impuissance : réaction simple, brute, normale au premier abord. Pourtant soumis en permanence à cette dualité de la naissance et de la mort aussi proches, l'infirmière, le médecin, les soignants apprennent à se mettre à l'écoute de ces êtres merveilleux qui ont accepté de vivre autrement ce moment crucial, véritable carrefour des différents aspects de la vie, où se passent tant d'événements importants dont nous n'avons pas toujours conscience.

La mort n'apparaît plus comme une fin inéluctable, mais bien comme une étape. La mort n'est plus l'inverse de la vie ; elle fait partie intégrante de la vie dont elle constitue une étape au même titre que la conception. La vie ne débute pas à la conception ou à la naissance ; elle ne se termine pas à la mort du corps physique. La vie est éternelle, préexistant à la conception, subsistant à la mort. On peut dire que la « vie de notre corps physique » représente l'expérience terrestre pour cette âme en évolution cosmique. Il est probablement normal que nous ayons recours à ce type de relation, puisqu'il nous est conseillé par des êtres qui ont accepté de rester autour de nous pour nous guider et nous conseiller.

Certains peuvent penser que cela est irréel, ou pur produit de l'imagination. Je ne le crois pas. Dans ton premier livre, Maguy, tu nous apportais ton expérience très occidentale de cette approche. Depuis, des centaines de groupes se sont constitués en France, en Europe et même dans le monde. Des milliers de personnes ont accepté et mis en application ton message. Toujours, tu as refusé qu'on les appelle « les groupes Lebrun ». Toujours, tu as refusé d'être considérée comme un chef de groupes, comme un maître, car justement ce n'est pas toi qui as eu l'initiative de cette mission. Tu as seulement mais aussi merveilleusement accepté d'être un « intermédiaire », un canal pour cet amour infini. De tout cela, nous te remercions tous, tous ceux qui pensent qu'en effet nous sommes chacun une partie de ce merveilleux cosmos dont l'amour est vraiment le principe fondamental.

Dr Jean-Pierre RELIER,
médecin des Hôpitaux.

Témoignage,
en guise de préface

Maguy me reproche parfois d'être trop attachée à certaines valeurs intellectuelles. Comme d'autres me reprochent d'être trop « crédule » ou sensible à des valeurs irrationnelles. Disons que comme la plupart des gens qui se veulent de bonne volonté, je ne refuse pas les ouvertures qui échappent à nos raisonnements dits cartésiens et à nos discours manichéens. Car certaines expériences télépathiques, certaines intuitions, certains « contacts » ou rencontres étranges m'ont fait savoir, à l'évidence et depuis l'enfance, que la science d'aujourd'hui pour extraordinairement performante qu'elle soit, ne nous donne pas accès à la réalité tout entière.

Mais je sais aussi qu'il est des mots galvaudés, vidés de leur sens, usés jusqu'à la corde et qui me mettent mal à l'aise. Il en est ainsi de l'amour, du spirituel, du divin et de bien d'autres auxquels on aimerait trouver des substituts un peu neufs.

Pourtant, par quoi remplacer le mot amour ? Par de vieux mots grecs, tels qu'Agape ? Charité ? Compassion ? On cherche et on se dit, après tout, que le mot amour, c'est encore celui qu'on peut comprendre, sur le mode universel, et finalement sans équivoque ni ambiguïté.

17

Et tout au long de ces pages, écrites autant par Maguy que par tous ceux qui lui ont apporté leur témoignage — et qui font ainsi de ce livre un ouvrage collectif —, le mot Amour est sans doute celui qui revient le plus souvent. Parce que ces pages en débordent, parce que c'est bien l'amour qui circule ici et qui se traduit par des actes, jour après jour, dans l'accompagnement des mourants, dans l'accueil des détresses, dans le pain partagé, l'effort pour comprendre et pour aider, dans la fidélité, enfin, manifestée concrètement.

Et c'est de cette fidélité amicale que je voudrais témoigner ici.

Ajouter un témoignage de plus à tous ceux qu'on lira peut paraître absurde ou déplacé. Mais c'est aussi ma façon de remercier Maguy, Daniel, Françoise... et Etty.

Car j'ai eu l'immense privilège de recevoir un message d'Etty à un moment de ma vie où l'angoisse me tenaillait.

C'était en 1989. On venait de diagnostiquer une « maladie grave » — euphémisme pudique, face à un mot que nul n'aime prononcer. J'ai agi très vite, subi divers traitements.

Maguy avait insisté pour que je vienne à la Fête de l'Amitié, à Grenoble. La veille au soir, je sortais de clinique, exigeant de mon médecin qu'il me libère afin que je puisse prendre le train. A ses yeux, j'étais folle à lier. On ne voyage pas après trois jours et quatre nuits de traitement à l'iridium! Mais ma détermination a dû l'impressionner puisqu'il m'a laissée partir... Il est vrai que je l'avais un peu rassuré en lui promettant que je ne ferais pas le voyage seule. Robert et Hélène Laffont ont eu l'extrême gentillesse de venir avec moi.

Je suis arrivée épuisée, tenant à peine debout. Si bien qu'au bout de quelques heures, Maguy m'a fait accompagner à Uriage, chez sa fille Françoise — un être que j'aime profondément — qui pendant une semaine, tous les jours, s'est efforcée de me magnétiser et de me redonner de l'énergie. Le repos aidant, je me suis sentie mieux assez vite.

Un jour Maguy arrive et me dit : « Tu redescends avec nous à Grenoble. C'est pour aujourd'hui. Etty a un message pour toi. »

Ceux qui ont lu Médecins du ciel, Médecins de la terre savent qui était Etty, qui elle est encore, en tant que guide spirituel de Maguy.

Je compris alors l'insistance de Maguy à me faire venir. Je compris mieux encore après avoir reçu ce message du « ciel ».

Impressionnée, émue, confiante, curieuse, à la fois impatiente et vaguement craintive, j'attendais. Et pourtant, rien de plus simple que ce contact, rien de plus « naturel », si je puis dire. Maguy et Daniel m'ont donc invitée à m'allonger sur leur lit, fenêtres fermées, au calme et dans le silence.

Maguy s'est assise à côté de moi, Daniel, en face. Ils ont prié et, très vite, Daniel est entré en transe médiumnique. La tête un peu penchée, les yeux fermés, un sourire aux lèvres, une expression sur le visage qui n'était pas celle qu'on lui voit habituellement. Presque aussitôt, il a parlé. Ou « elle », Etty, a parlé par sa bouche. Elle a plaisanté, avec gentillesse, puis très rapidement, elle a dit : « J'ai la très grande joie de vous faire savoir que vous êtes guérie. Mais si, par sécurité, vous voulez vous faire opérer, il ne faut pas le faire à la date prévue. C'est trop tôt. Le 25 juillet, ce sera la canicule, vous supporterez mal l'anesthésie, les tissus brûlés ne seront pas cicatrisés. Il faut surseoir. » Je me souviens du terme. Surseoir...

Interdite. J'étais interdite. Comment dire à mon chirurgien qu'une femme morte depuis 1945 m'exhortait à ne pas me faire opérer à la date qu'il m'avait fixée, la veille de son départ en vacances ?

Timidement, je protestai : « Mais si mon chirurgien refuse ? » Immédiatement, Etty rétorqua : « Il n'y a pas que lui. Il y en a d'autres. »

Je ne pouvais pas échapper à cette claire autorité, Etty avait raison, je le sentais. C'est elle qui voyait juste et je devais obéir.

Un instant, je l'avoue, j'ai pensé que peut-être Maguy exprimait sa propre opinion, qu'elle transmettait, malgré elle, à Daniel. Alors, j'ai posé des questions à Etty sur mon travail. Et la réponse, pleine de tact et de délicatesse, a visiblement surpris Maguy qui m'a regardée, l'air incrédule, ne comprenant pas. Alors que pour moi, l'interprétation était claire.

J'ai donc tenu compte du conseil — quelque peu péremptoire — d'Etty. J'ai reculé l'opération de plus d'un mois, malgré les protestations, de pure forme, m'a-t-il semblé, de mon chirurgien. Et tout s'est bien passé.

Lorsque j'ai annoncé à mes nombreux amis médecins que je retardais l'intervention, j'ai été sidérée par leur réaction. Tous se sont dits soulagés, vraiment heureux de ma décision ! Pas un d'entre eux ne m'avait conseillé de remettre l'opération à plus tard. Même s'ils pensaient que j'aurais pu pâtir d'une forme de précipitation. « On ne va pas contre l'avis d'un confrère ! » m'ont dit certains.

Pas un instant je n'ai douté de la valeur du conseil donné par Etty. Je sais qu'elle avait raison et je sais aussi un gré infini à Maguy d'avoir été, avec Daniel, cette précieuse intermédiaire entre le ciel et mon humble personne.

Aujourd'hui, je préfère cent fois, mille fois, faire confiance à Etty, savoir à travers elle quel est mon état de santé, plutôt que de subir les contrôles angoissants préconisés par la Faculté.

Tant que je vis, je vis. Le drame, n'est-ce pas, c'est de ne pas vivre tant qu'on est vivant. Si demain, comme tout le monde, je devais mourir, j'aurais peut-être la tentation d'appeler à l'aide Etty et mes amis de Grenoble, pour tenter de bien mourir.

Si, d'ici là, il m'est encore donné d'être parfois utile, j'en serai heureuse.

La foi du charbonnier, je l'envie parfois. Mais Maguy, Daniel, leurs amis, m'ont fait toucher du doigt quelque chose : la prodigieuse énergie que cette foi simple, directe, ardemment partagée, peut mettre en mouvement. Depuis quatre ans, j'ai assisté à un certain nombre de petits miracles opérés par cette « chaîne des mains », cette « chaîne de prières ». Et l'un de ces miracles, c'est sans doute le surgissement, à travers le monde, de nouveaux groupes qui prient, avec la même ferveur, pour tous ceux qui sont seuls, malades, angoissés, victimes du malheur ou de l'injustice. Les uns et les autres, ceux qui prient et ceux pour lesquels on prie, y gagnent quelque chose d'infiniment précieux, difficile à nommer, et que vous découvrirez au fil des pages de ce livre.

Joëlle DE GRAVELAINE

*Notre chaîne des mains
au-delà des frontières
nous servira demain
d'emblème et de prière*

QUATRE ANS APRÈS

Le 2 avril, je suis à Toulouse et viens de faire une causerie sur la guérison spirituelle. Des amis ont apporté un poste de télévision. Tous ensemble, nous avons regardé l'émission d'Alain Denvers, « Infovision », avec une émotion sans pareille. C'était la première fois que notre groupe d'accompagnement était dévoilé au public, après plus de vingt-cinq ans.

Alain Denvers annonce mon livre *Médecins du ciel, Médecins de la terre*. L'assistance devant laquelle je venais de parler se lève, bouleversée, et applaudit. Un prêtre prend la parole, c'est un véritable choc, l'osmose totale.

Alors je pleure et réalise enfin pourquoi Etty et mes médecins du ciel m'ont demandé d'écrire ce livre. L'espace d'une minute, je pense que Daniel et moi avons été de bons instruments, de bons serviteurs, puisque, à travers nous, un message est passé.

Mais je n'imagine pas du tout ce qui nous attend !

Après trente-cinq ans de silence, comme il a été difficile de recevoir les journalistes ! Je vivais leur intrusion comme une agression et j'avais si peur que notre travail ne soit pas compris !

Le sujet, n'est-ce pas, n'est pas évident !

Première journaliste, Marie P. représente un grand périodique. J'en suis malade, vraiment malade! Ouvrir la porte du groupe, le livrer en pâture à la curiosité! Nous étions si bien dans notre cocon...

Marie P., très gentille, comprend mon angoisse et supporte calmement mon état, pas très coopératif.

Elle me donne alors quelques conseils et débarque avec toute une équipe, venue de Paris, à la mairie de mon village pour faire des photos.

Nous avions vécu si sagement pendant tant d'années que tout le monde est ahuri et ne comprend pas très bien ce qui se passe. Bien sûr, les Lebrun sont un peu bizarres, ils ont fait tant de mariages, par exemple, dans cette mairie; ils ont élevé tant d'enfants, mais enfin, sans rien demander à personne!...

Ensuite les journalistes se sont succédé. *Paris-Match,* avec Marie-Thérèse, nous a consacré plusieurs pages; puis ceux de Grenoble, de Paris encore, d'ailleurs, tous si bienveillants, alors que je n'avais, au début, pas trop confiance. On dit tant de mal d'eux, parfois!

Je leur ai posé la question : « Pourquoi êtes-vous si aimables avec moi? » Beaucoup m'ont répondu : « Nous faisons notre travail, nous avons fait des enquêtes et nos articles n'en sont que le reflet. » D'autres m'ont avoué avoir eu des « signes du ciel », soit après le départ d'un être cher, soit dans une situation émotionnelle particulière, qui les rendaient moins sceptiques.

A tous les journalistes, aux artistes rencontrés, je dis merci pour leur prévenance, pour le respect qu'ils ont témoigné pour notre travail et pour notre façon de vivre.

La première émission de télévision a donc été celle de TF1.

L'équipe est arrivée aux Eymes. Pas de chance, le matin même je me réveille avec une crise d'allergie, la première de ma vie ; les yeux gonflés, le visage déformé. Le médecin d'à côté, comme moi d'ailleurs, pense à des fruits de mer mangés la veille.

La deuxième équipe de télévision, celle de FR3 Grenoble doit arriver. Je me réveille le matin boursouflée, méconnaissable. Je fonce chez mon ami Michel qui me fait prendre conscience de ce que cette fois les responsables ne sont pas les fruits de mer, mais les journalistes et leurs appareils !

Petit à petit je m'y suis faite. Il y en a eu beaucoup d'autres, non seulement en France mais en Belgique, en Suisse, en Espagne, en Italie, au Québec et j'ai dû m'y habituer. Mais leur compréhension et leur patience, face à mon inexpérience, m'ont beaucoup aidée.

Quelques anecdotes ont émaillé ma rencontre avec les gens de télévision. L'équipe d'Alain Denvers était dirigée par Laurence Graffin. J'aime beaucoup Laurence qui, malgré ce travail de reporter pas toujours facile, conserve sa gentillesse et son sourire. Pour moi, c'est une grande professionnelle. Sa courtoisie et son humour nous ont fait accepter, à Daniel et à moi, avec plaisir, le tournage de cette équipe de TF1 durant trois jours. Ils ne nous ont pas lâchés d'une semelle ! Il faut en effet des heures de tournage pour une séquence qui durera un quart d'heure !

Il s'est alors produit un phénomène curieux. Cette émission aurait dû normalement passer sur l'antenne plus d'un mois avant la sortie du livre. Mais à la suite d'un ennui technique tout à fait inhabituel, la diffusion a été retardée d'un mois. Il a fallu tourner de nouveau certains plans. Et finalement, elle est passée la veille de la sortie du livre, et Alain Denvers, de façon tout à fait

27

exceptionnelle, en a parlé et l'a présenté avec un commentaire très chaleureux. Le lendemain, des milliers de gens se précipitaient dans les librairies où l'ouvrage venait à peine de paraître. En même temps que deux énormes sacs postaux étaient livrés dans les bureaux de TF1.

Tout de suite, j'ai pensé à une aide prodigieuse du ciel. Car si cette émission avait eu lieu, comme prévu, un mois plus tôt, tous les téléspectateurs l'auraient oubliée.

Dans ses interviews, Laurence avait rencontré notre petit Lenny, atteint d'une maladie grave. Émue par la lumière émanant de cet enfant, elle l'avait invité, ainsi que ses parents, à venir se reposer en Bretagne.

Sur un plateau de télévision, à Genève, j'ai fait la connaissance de Jean-Marc Thibaut et de Sophie, son adorable épouse. J'ai beaucoup ri en écoutant et en regardant ce grand artiste... qui dit être un saltimbanque!

C'était la première fois que je voyais de si près un authentique talent!

A la question d'un journaliste : « Si vous n'étiez pas comédien, Jean-Marc, qu'auriez-vous aimé être ? » il a répondu : « Un médium, pour être en contact avec ceux que j'aime et qui sont partis... »

J'ai compris alors que derrière la façade se cachait un homme sensible et vulnérable.

Nous avons terminé la soirée tous les quatre, Jean-Marc Thibaut, Sophie, Daniel et moi, dans un restaurant au bord du lac Léman et mon impression première a été largement confirmée.

Un jour, au Québec, la présentatrice de l'émission m'a demandé de lui consacrer quelques instants en privé. Malade, elle désirait que je l'écoute et lui donne quelques conseils. J'étais ravie de pouvoir lui rendre ce petit service.

La télévision canadienne, chaque année, le lendemain de Noël, passe une émission du type « document spirituel ». Elle m'a fait l'honneur de choisir une séquence sur notre vie, à Daniel et à moi, et sur le livre *Médecins du ciel, Médecins de la terre,* ce qui m'a valu quelques réveils intempestifs la nuit du 26 décembre, car de nombeux Canadiens m'ont téléphoné. Avec le décalage horaire, il était vraiment tard dans la nuit ! Ils me disaient : « Maguy, tu viens de passer à la télé, c'était super ! Tu te rends compte, l'émission n'a pas été coupée par les pubs, et comme ce soir il y a beaucoup de neige, les gens, calfeutrés dans leurs maisons, ont tous regardé l'émission ! »

A Madrid, j'avais droit, en principe, à cinq minutes d'antenne. Le présentateur était grenoblois. Ravi de me rencontrer, il m'a octroyé un supplément de vingt minutes !

A Bordeaux, j'ai fait la rencontre de Nadine de Rothschild. Cette dame n'est pas seulement jolie et souriante, mais aussi très intelligente. Le journaliste qui présentait l'émission nous demanda de trouver un lien entre nos deux ouvrages. J'ai rétorqué :

— Peut-être l'art de mieux vivre... même si nos deux sujets sont fort différents ; il faut de tout pour faire un monde !

— Oui, répond le présentateur, mais les moyens aussi sont très différents car si les Rothschild s'occupent d'œuvres diverses, ils ont vraiment toute facilité pour le faire !

— C'est vrai, s'empressa de répliquer Nadine de Rothschild, mais beaucoup ont autant d'argent que nous et ne font rien !

L'émission s'est fort bien déroulée et, sur le plateau, j'entendais les techniciens se dire entre eux : « C'était beaucoup plus calme que la dernière fois parce que Nadine de Rothschild se trouvait sur le plateau avec Arlette Laguiller et on entendait cette dernière hurler deux étages plus haut ! »

Toute cette campagne de promotion a entraîné, on l'imagine, un courrier fou !

Les lettres arrivèrent par milliers, les appels téléphoniques aussi. La mairie de Grenoble a ouvert un casier à mon nom, et beaucoup de services publics ou sociaux ont été sollicités.

Notre ami, le père Godel, avec sa philosophie coutumière et son cœur généreux, nous a beaucoup aidés.

Les demandes de conférences affluèrent et la grande surprise, pour moi, a été la réaction des médecins. Des centaines de médecins ont manifesté leur intérêt. Ils écrivent encore, viennent me voir, et nous avons dû céder à leurs instances et faire plusieurs séminaires de « médecine spirituelle » à Grenoble. J'ai compris qu'une alliance thérapeutique était en train de naître et que, dans les groupes, si le malade est aidé dans tous ses besoins, médicaux, spirituels, physiques, moraux et matériels, il ne mourra peut-être plus — si la mort est imminente — dans la solitude.

La solitude est, sans nul doute, le mal de notre siècle. Dans notre société, à l'heure des grandes découvertes de la science, de la médecine, et du renouveau des religions, de multiples mouvements qui veulent tous aider, pourquoi, mais pourquoi tant de détresses cachées ? Pourquoi tant de malades ballottés de droite et de gauche, ne sachant plus où aller, expérimentant de soi-disant thérapies miraculeuses, et qui se retrouvent seuls, désemparés, parfois ruinés. Il faut bien faire un constat de faillite, et je crains bien, avec ce que j'ai *vu, entendu, vécu* depuis quatre ans, que le mal essentiel, hélas, se nomme *intolérance !*

Au niveau des peuples, intolérance des dirigeants qui font régner la dictature, par soif de pouvoir. Au niveau des religions, intolérance des extrémistes de tous bords, qui pensent détenir la Vérité. Dieu, Jésus, Mahomet, etc., leur appartiennent. *Eux seuls* savent prier, ce qui leur donne le droit de s'ériger en juges. Quel mépris pour ceux qui ne pensent pas comme eux !

Intolérance, aussi, des divers mouvements, enseignements, écoles qui prêchent la spiritualité... payante de préférence. Il faut payer très cher, parfois, pour apprendre à prier, ou pire, à soigner. Faut-il que les hommes qui subissent ces abus aient perdu toute espérance !

L'espérance est dans l'acte d'amour de tous les jours. L'espérance est dans la lumière d'un regard. L'espérance est dans la fleur qui s'ouvre au soleil, dans le sourire d'un enfant, dans le clin d'œil du ciel ! L'espérance, née dans la prière, dans le silence, dans la main tendue, dans le baiser donné, n'a point besoin de gourou ni de maître.

J'ai rencontré des êtres lumineux
qui sans le savoir
sont habités par Dieu

Il est des rencontres dans la vie que l'on n'oublie pas.
J'ai ainsi été reçue à l'Élysée par Georgina Dufoix.
Nous avons bavardé longtemps. Son ouverture à la
souffrance, son engagement à la Croix-Rouge, sa lutte
contre le fléau que représente la drogue la définissent
tout entière et mon cœur a été touché dès notre
première entrevue. C'était au moment de la grève des
transports à Paris ; elle a tenu à me faire accompagner
par son chauffeur en voiture : je n'ai jamais traversé
Paris aussi vite !

Les lettres cachetées venant de la présidence de la
République ont beaucoup impressionné mon facteur
qui, ces jours-là, me salue bien bas ! Il faut aussi
préciser que, durant sa vie de facteur, il n'a jamais vu
autant de courrier !

Hélas, si j'ai rencontré beaucoup de gens merveilleux, j'ai aussi constaté que les êtres lumineux ne sont
pas toujours là où on les attend.

Parmi toutes les réactions qu'a suscitées mon livre, il

y a celle de l'Église catholique. Je suppose qu'au début, elle a cru que je voulais créer une secte ou, pourquoi pas, une nouvelle religion. Dieu m'en garde ! Les choses, depuis, se sont arrangées. Je suis allée voir le père Vernette, à l'évêché de Montauban, le seul habilité en France pour déclarer ce qui est, ou ce qui n'est pas, secte. Il a publié un article dans le journal *La Croix*, nous classant *non-secte*. Cette déclaration, je l'espère, sera de nature à rassurer certains catholiques inquiets. L'Église se doit d'être prudente car bien des sectes se cachent sous le nom d'associations diverses et font de terribles dégâts.

Mais un prêtre a osé écrire : « Les groupes de Maguy Lebrun constituent une secte. Le maître dans ces groupes n'est pas le Christ, mais Maguy Lebrun ! »

Bien sûr, j'ai tout de suite été au courant par tous les chrétiens qui avaient lu ces lignes et avaient été scandalisés, sachant bien que seules la fraternité et la charité motivent nos groupes d'accompagnement, que nous respectons profondément la liberté de conscience de chacun, sa religion, sa pensée, son engagement.

Je n'ai bien entendu pas répondu à cette attaque plus bête que méchante, mais il faut prier, tous, pour ce prêtre intolérant qui prend position sans connaître et sans avoir vérifié sur quelles valeurs sont fondés nos groupes.

Il y a eu pire !

Ah, si les bûchers de l'Inquisition pouvaient être rallumés ! On ne s'en priverait pas aujourd'hui encore et on brûlerait encore Jeanne d'Arc ! Comment, mais comment des chrétiens peuvent-ils se montrer si virulents, écrire de telles stupidités !

Un médecin de Castres — charismatique également —, des « lions de Judas », a publié une analyse de nos réunions de travail sans, bien sûr, y avoir jamais mis les pieds. Tout d'abord, nous en avons ri, croyant à une farce. Mais devant les centaines de gens outrés qui m'ont envoyé ses écrits, déformant totalement la réalité, mélangeant pêle-mêle notre vie de couple, à Daniel et à moi, le livre *Médecins du ciel, Médecins de la terre*, les travaux de nos réunions, et où même Édith Piaf (la pauvre, que vient-elle faire dans cette galère ?) est prise à partie, j'ai été obligée de prendre une décision et, bien entendu, de demander conseil à mon guide, Etty, dont je vais parler plus loin.

Etty m'a dit : « Ne réponds jamais à l'attaque. Il vaut mieux être du côté de l'attaqué que du côté de l'attaquant. Il faut beaucoup prier pour ceux qui, au nom de Dieu et du Christ, s'érigent en juges. »

C'est la raison pour laquelle je parle de ces petits problèmes aujourd'hui. Je n'ai pas pu répondre individuellement à tous ceux qui m'ont écrit, à tous ceux qui m'ont conseillé de déposer plainte pour diffamation. Non ! Ce ne serait pas dans l'optique de l'enseignement d'amour et de pardon que j'ai suivi pendant tant d'années.

Je leur pardonne du fond du cœur, alors faites comme moi, priez chaque soir pour que, à l'image de Jésus sur sa croix, nous pardonnions à ceux qui, par incompréhension et ignorance, condamnent leur prochain.

Mais laissons de côté ces pamphlets qui ont rendu si tristes ceux qui les ont lus. Il y a tant à dire, de beau, de vrai, tant d'amour à donner ! J'ai remarqué que ceux qui font de longs discours ne sont pas toujours ceux qui agissent. Il est très important que l'acte juste suive la parole juste...

Beaucoup de prêtres m'ont écrit, certains pour me parler de leurs problèmes personnels, et leur confiance m'a infiniment émue ; d'autres m'ont envoyé des récits magnifiques. Je garde précieusement leurs lettres qui ont constitué pour moi un immense réconfort. Voici, en partie, celle de l'un d'eux : « Savoir que nos actes nous suivent, comme le dit saint Jean, les bons et les mauvais, devraient être appel puissant à la vertu, à l'amour [...] Les relations cultivées sur terre en toute humilité nous ouvrent aux relations avec l'au-delà. L'humilité nous ouvre aux richesses des autres, qu'ils soient sur terre ou dans le ciel. »

Un théologien m'écrit à son tour :

« Bien que théologien catholique et engagé, je vous écris ma pensée, espérant que nous nous rencontrerons un jour. Je n'ai pas envie d'instruire un " procès d'orthodoxie " mais chercher à comprendre et à parler. En toute amitié. »

Un autre encore :

« Vous vous situez au niveau d'une recherche spiri-tuelle, d'un amour du prochain fondé sur la dignité de l'être humain. »

Et encore :

« A la manière de Frères des Hommes, de Médecins sans frontières, vous œuvrez pour l'homme, sans en exclure la dimension spirituelle, favorisant les ren-contres entre personnes différentes, autour d'un même objectif : l'Amour. »

Puis il y a eu la rencontre avec Monseigneur X. Il m'a d'abord écrit pour me demander... une « audience » ! Il me dit avoir fait carrière au Vatican, pendant vingt-huit ans, et ajoute : « J'ai l'impression que ce livre, *Méde-cins du ciel, Médecins de la terre,* marque ou marquera dans l'évolution de notre civilisation une étape essen-tielle, etc. »

Par pudeur, je ne livrerai pas le contenu intégral de cette lettre extraordinaire.

A sa lecture, j'avoue là encore avoir cru à une plaisanterie et me suis renseignée pour savoir si ce Monseigneur existait. Oui, il existait bel et bien. Je l'ai reçu chez moi avec beaucoup d'émotion. Puis il m'a reçue à son tour chez lui, pendant les vacances, et m'a fait rencontrer un autre monseigneur de Rome. J'ai déjeuné entre eux deux... et je me suis surprise à me pincer pour être sûre de ne pas rêver éveillée ! D'autres prêtres sont venus nous rejoindre. Ils nous ont si bien accueillis, Daniel et moi, que nous avions l'impression de revivre notre enfance. Nous avons parlé des heures ; ils nous ont comblés de bonheur et de cadeaux. Malheureusement, dans notre émotion, nous avons oublié ces cadeaux en partant ! Merci à tout jamais, Monseigneur, pour votre amitié, vos encouragements et votre franchise !

Lorsque le livre est sorti en Espagne, il n'y a pas rencontré, de la part de l'Église, les mêmes réactions. Immédiatement, des pères jésuites nous ont invités, ont organisé des conférences, à Madrid comme à Barcelone.

Lorsque, à Madrid, j'ai entendu un père dire : « Le Christ avait donné le don de guérison aux apôtres. L'Église a longtemps occulté le charisme de guérison Le livre de Maguy Lebrun est là pour nous réveiller... », je n'en crus pas mes oreilles et j'ai pensé que, décidément, il devait y avoir plusieurs Églises...

A la réflexion, j'ai compris qu'en matière de religion, comme dans bien des domaines, il existe des hommes merveilleux, modérés, qui nous proposent un modèle de sagesse et d'humilité ; et il y a aussi des excités incapables de communiquer un message d'amour, tout simple, parce que, pour eux, le dogmatisme de la théorie passe avant l'acte. Mais une fois de plus il faut de tout pour faire un monde... !

Parmi mes amis, le père Biondi qui, je le précise, est encore aujourd'hui prêtre catholique ; son travail exige beaucoup de courage, beaucoup de foi. J'espère qu'il continuera longtemps ses conférences, ses séminaires. C'est un merveilleux éveilleur d'âmes tièdes, voire un peu perdues.

J'ai fait aussi la connaissance du père Brune, auteur du livre *Les morts nous parlent.* Cet ouvrage a eu un immense succès. C'est une synthèse des travaux effectués en laboratoire par des savants qui essaient de prouver la survie de l'âme après la mort physique. Ce sont bien sûr encore des balbutiements, mais la science progresse sans cesse. Imaginez si, un jour, les savants pouvaient prouver notre survie ! La face du monde changerait. Si chaque homme pouvait savoir d'une façon certaine qu'il vivra après la mort de son corps, peut-être hésiterait-il à voler, à dominer, à torturer...

Beaucoup de prêtres m'ont également téléphoné pour m'encourager. C'est pour tous ceux qui m'ont aidée et soutenue, et à qui je dis merci du fond du cœur, que j'ai voulu, en toute sérénité, mettre les choses au point.

Il y a tant de belles choses à révéler, tant de larmes séchées, tant d'espoir retrouvé après la lecture de ce récit qu'il m'a été ordonné d'écrire.

Il y a aussi ces hommes, ces femmes, qui travaillent souvent dans l'ombre, toujours présents devant la détresse, ouvrant leurs bras et leur cœur.

J'ai rencontré tant d'amour...

Oui, tant d'amour sur la terre, mais aussi dans le ciel. Ainsi ce message, émanant de l'un de ces anges messagers qui nous ont été d'un si grand secours :

Je ne trouve pas les mots nécessaires...

Je veux revenir sur ce livre, ce livre qui a bouleversé tant de consciences, qui a bouleversé tant de pensées, tant et tant d'âmes... et il y en aura d'autres encore. Ce livre qui va bouleverser le domaine de la médecine, de la science, de la recherche. Ce livre si simple qui n'est qu'un témoignage de vie de gens simples, ce livre qui apporte un message authentique à tant d'êtres qui cherchent. Il est une porte qui s'ouvre pour certaines recherches, il apporte la lumière et l'ouverture spirituelles. Il fait comprendre que la guérison des corps passe par la guérison des âmes. Il fait comprendre qu'il ne faut pas rejeter sa religion, sa source, quelle qu'elle soit. Il fait comprendre qu'il ne faut pas rejeter la médecine.

Vous vous déplacez beaucoup et parfois je me déplace avec vous. Tout comme vous, j'ai œuvré dans la prière et le silence. Vous avez travaillé dans l'ombre, avec votre cœur, votre foi, avec acharnement. Vous avez travaillé chaque jour à chaque heure. C'est dans le silence que se révèlent et se bâtissent les plus grandes choses.

Maintenant, un avenir resplendissant est devant vous. Beaucoup vont comprendre qu'il faut unir la pensée spirituelle à la connaissance médicale. Cela, nous l'avons bâti tous ensemble. Le calme dans le monde appartient à l'homme. Le bonheur dans le monde appartient aux hommes. Dieu dans son immense grandeur nous a donné la paix, l'espérance de la fraternité. Les hommes qui prient permettent de préparer l'union des hommes et des lendemains. Demain, chacun pourrait se retrouver dans un monde d'amitié, de joie, de sérénité, prenant exemple sur cette histoire si simple, bâtie de tolérance et d'amour.

Nous pouvons parler à présent, n'ayez pas peur des mots, apportez aux autres, à vos frères, la lumière que vous possédez. Il faut qu'ils croient en eux. Il faut qu'ils croient en Dieu. Que de souffrances, que de cœurs brisés, que de familles séparées, d'enfants déchirés, que de peines, que de chagrins qui pourraient être évités !

Il faut savoir supporter, faire face à vos devoirs. Si vous le faites, je serai toujours avec vous, toujours votre soutien. Vous n'êtes jamais seuls, je vous l'affirme, l'ampleur immense de l'œuvre qui se déroule, partant de vous, est trop importante ! Nous vous aimons, nous vous aiderons, nous vous apporterons la force nécessaire. Je serai avec vos guides, vos amis invisibles et si présents, pour un soutien moral, spirituel, physique, non seulement pour vous, mais votre suite, vos enfants, petits-enfants, tous ceux qui marchent dans votre sillage et continueront ce que vous avez commencé il y a quelques années. Nous serons près d'eux, nous nous mêlerons à leurs prières.

Je vous bénis, je vous remercie, vous m'êtes très chers. Ne laissez jamais, jamais tomber votre bâton de pèlerin, que votre foi vous soutienne. Je vous souhaite une bienheureuse continuation.

Avant d'aller plus loin et pour que ceux qui n'auraient pas lu *Médecins du ciel, Médecins de la terre* comprennent bien de quoi il s'agit, je vais résumer en quelques mots notre étrange histoire.

J'ai reçu le don de guérison, toute petite, je pense, et je n'en voulais pas. Plusieurs manifestations m'ont beaucoup troublée, enfant puis adolescente ; pendant des années, j'ai caché soigneusement cet « état particulier » qui me gênait, comme si j'étais porteuse d'une tare. Fille de paysan, j'étais mal à l'aise à la campagne, je ne vivais pas totalement à l'unisson avec les miens, que par ailleurs j'adorais.

Profondément croyante, je priais beaucoup. A quinze ans, assez secrète, j'ai traversé une crise un peu mystique et j'ai fait baptiser certaines de mes compagnes qui ne l'étaient pas.

Après avoir fait des études d'infirmière, je me suis occupée de nourrissons et, dès mes vingt et un ans, j'ai commencé à aider et à recueillir des enfants en difficulté. Puis il y a eu mon mariage avec Daniel. D'un commun accord nous avons créé un véritable foyer d'accueil, car les enfants dont nous nous occupions devenaient de plus en plus nombreux.

Un soir de mai, une histoire folle nous est arrivée. Les enfants couchés, au lit tous les deux, Daniel endormi m'a parlé avec une voix claire de femme : « N'aie pas peur, disait cette voix, ton mari est un médium, il " prête " son corps et ça n'est pas lui qui parle. Je suis un " ange gardien ", un guide spirituel qui a choisi ce moyen pour communiquer avec toi. »

Je venais de rencontrer ma première initiatrice et, la première fois, elle m'a parlé pendant trois heures ! Elle m'a fait accepter l'utilisation de mon don : « Tu seras une guérisseuse spirituelle, tu guériras des corps pour amener des âmes à Dieu. Prie et fais prier tes malades. N'oublie jamais ces deux règles essentielles :

« Ce n'est pas toi qui guéris, mais Dieu à travers toi.

« Tu ne dois pas t'enrichir. Que les dix francs du pauvre aient toujours à tes yeux la même valeur que les cent francs du riche !

« Enfin, n'essaie jamais de nous contacter. Si tu

acceptes ma proposition, tu recevras un enseignement. »

J'ai été si troublée — on l'imagine ! — qu'une espèce de traumatisme m'a laissée en état de choc plusieurs jours.

L'enseignement a duré dix ans, dans le secret et le silence. Dix ans pendant lesquels cet être de lumière, que nous avons appelé Mamie, est venu soir après soir « bavarder » avec moi, toujours par le truchement de Daniel. Cet enseignement d'une richesse inouïe n'était pas un enseignement religieux. Comment l'expliquer ? Je crois qu'on peut parler d'un enseignement moral, d'une technique dans l'apprentissage d'une autre façon d'aborder les problèmes de la vie, l'évolution, la naissance, les épreuves, la mort.

Cette période a été excessivement dure sur le plan physique. Notre vie a basculé à tout jamais. Daniel n'a jamais conservé le souvenir de ces moments de « contact », il n'était qu'un instrument. Tout comme moi, dans mon rôle de guérisseuse.

Lorsque, plus tard, nous avons pu enregistrer les messages du ciel sur magnétophone, nous avons assumé, à deux, avec plus de force, ce qui était parfois si difficile à vivre.

J'ai appris qu'il ne faut jamais aborder une voie spirituelle comme celle-là sans un don total de soi, dans tous les domaines. Nous avons dû quitter nos situations, avec tous les enfants à charge ! Pour manger tous les jours, nous avons dû organiser des spectacles de variétés, ce qui d'ailleurs occupait bien les enfants et les adolescents.

C'est alors que j'ai ouvert un cabinet de soins qui s'est rempli comme par enchantement. Les médecins, intéressés par le comportement et l'amélioration de l'état de leurs patients m'ont contactée et aidée.

Un premier groupe de prière venait de naître, toujours dans le silence. Ceux qui venaient prier pour les malades n'en parlaient à personne! Dix années de vie un peu secrète, sans voyages ni superflu bien sûr, dans une quasi-pauvreté... Mais aussi avec des aides inattendues. Par exemple, on nous a prêté une maison pour loger la nichée.

Au bout de dix ans, Mamie s'est « retirée » : « Je t'ai appris tout ce qu'il m'était possible de t'enseigner. Quelqu'un viendra qui me remplacera. » Je me suis effondrée et j'ai pleuré toutes les larmes de mon corps. C'était, pour moi, comme si j'avais perdu un être cher.

Mais Etty est entrée dans ma vie, mon Etty bien-aimée, qui nous a encore imposé quinze ans de silence : vingt-cinq ans de travail dans l'ombre... un quart de siècle !

Dès l'arrivée d'Etty, les choses ont changé. C'est alors qu'un travail intense nous a été demandé ; une équipe de médecins du ciel nous a entourés. Les médecins de ce monde, aussi.

Le groupe de prière s'est structuré, des malades sont venus à nous de l'extérieur. C'est seulement au bout de quinze ans qu'Etty a commencé à me préparer à affronter « les autres ». J'ai compris peu à peu qu'une médiatisation allait devenir inéluctable. J'étais terrifiée ! Après un quart de siècle, quel bouleversement !

Il faut maintenant que je vous explique qui était Etty au cours de sa brève vie terrestre, Etty toujours près de moi aujourd'hui. Ma première conférence à la Sorbonne lui a été consacrée. En voici un extrait :

« Beaucoup de croyants, beaucoup d'hommes ont peur de la mort, et si ce soir je suis ici, pour vous raconter avec beaucoup d'émotion, mais en toute simplicité, l'histoire d'Etty, c'est pour vous aider à surmonter cette peur.

« Mon histoire est une histoire d'amour, de tendresse, entre un être qui vit dans le sur-monde, avec son corps de gloire, et les êtres humains qu'elle aime et essaie d'aider, mais surtout qu'elle s'efforce de faire évoluer spirituellement. Je pourrais commencer ainsi : " Il était une fois une belle jeune fille aux yeux noirs qui avait vingt-cinq ans le 27 juillet 1944. Pleine d'idéal, elle voulait consacrer sa vie aux enfants en difficulté, à ceux qui vivent dans la détresse. Après des études d'infirmière et d'assistante sociale elle entra, auprès du juge pour enfants, au tribunal de Valence. Mais la guerre, la sale guerre est arrivée. Elle a mis son idéal au service des blessés et des mourants de l'Armée de l'ombre, c'est-à-dire de la Résistance. Les événements du Vercors, son arrestation à la grotte de la Luire, sa déportation à Ravensbrück, sa mort au four crématoire... " Mais aussi sa survie dans l'invisible, son pardon total, son amour immense, son aide concrète et efficace à ceux qu'elle a laissés, qu'elle aimait mais aussi aux autres, ceux qui, emportés par une idéologie démentielle en sont arrivés à torturer des milliers d'êtres humains... C'est, je pense, cet amour et ce pardon qui lui ont permis de manifester sa présence, d'aider, grâce aux possibilités que lui ont données son courage, sa foi en l'homme d'abord, en Dieu par la suite, son sacrifice suprême pour une cause en laquelle elle croyait : la liberté.

« Notre rencontre après sa mort, notre collaboration, notre travail en commun depuis bien des années. Pourquoi ? Qu'est-ce qui nous a réunies ? Peut-être notre amour des enfants...

« Voilà l'histoire que je vais vous conter ce soir, étrange, fantastique, vraie... »

Une cassette de cette causerie a été faite par notre ami Gérard Wolf, mais j'aimerais vous dire quelques mots, très brièvement, du pays où elle a vécu ses derniers jours sur notre terre de France.

La grotte de la Luire, le Vercors, les endroits où a vécu et lutté Etty attirent beaucoup de gens qui viennent respirer le parfum d'héroïsme et de pardon qui flotte dans l'air. Le Vercors est si beau que personne n'est jamais déçu.

Entre autres, un ami belge m'écrit : « Je veux aller à la grotte de la Luire me recueillir et prier humblement pour que continue la mission d'Etty. »

Un jour où nous nous trouvions à la grotte, avec le père Biondi qui a célébré la messe sur le rocher, devant la plaque où est gravé le nom d'Etty, nous avons tous été saisis d'une émotion violente. Le père, très sensible, a été « remué » pendant deux jours. Comme par hasard, les pionniers du Vercors sont arrivés à la fin de la messe et nous avons pu dire une prière tous ensemble. Jugez de leur surprise ! Un prêtre en blanc, avec deux personnes, Daniel et moi, dans cette grotte... ce n'est guère habituel !

A Vassieux, le mémorial est à visiter. Les cendres d'Etty ont été dispersées dans un lac à Ravensbrück, mais on peut lire son nom sur une tombe, en mémoire... Le musée de la Résistance est aussi à visiter, et tous ceux qui se rendront sur ces lieux historiques ne le regretteront pas.

... Non, je ne touche aucun pourcentage, ni des mairies ni des commerçants qui ne me connaissent pas. Vous savez tous, vous qui me connaissez, combien j'aime rire !

Je voudrais maintenant vous livrer le message envoyé

par Etty et que j'ai lu au groupe de Grenoble, lors de la parution du précédent livre, pour mes fidèles compagnons, qui m'assistent depuis trente-cinq ans, pour certains...

Le 9 février 1987

C'est le branle-bas de combat, mais heureusement pas le même que celui que j'ai connu. Ce moment qui arrive a été préparé, pesé dans ses moindres détails. Vous n'imaginez pas ce qu'une information de cette sorte peut apporter. Pour les jeunes, pour les malades, pour ceux qui cherchent, pour ceux qui se perdent...

Pour vous, c'est une période de stress, acceptez-la humblement, pensez à ce qu'elle apportera. Regardez l'exemple de Pasteur et de tant d'autres qui ont œuvré des années dans l'ombre et le silence pour apporter tant de choses à l'humanité. Ils ont répandu leurs travaux et leurs sacrifices pour sauver bien des vies.

Tous ceux du groupe, mes enfants, vous allez participer à l'œuvre. Les pensées et les travaux des moralistes, des religieux, des scientifiques, se rejoindront un jour. Ne craignez rien, ne craignez pas l'effort, ne craignez pas d'apporter votre présence, votre prière, de donner l'exemple. Un homme qui a le courage de ses opinions est un homme de bien, c'est une belle chose qu'il peut faire.

Je vous le dis, mes enfants, nous allons, tous ensemble, participer à une œuvre humanitaire merveilleuse. A tous les compagnons fidèles je dis : « Participez sans crainte. Vous donnerez, apporterez le secours à bien des souffrances. Vous pouvez dire : " Je crois en la vie éternelle, je crois en l'amour, je crois en la fraternité, la gentillesse. " Apportez votre lumière elle permettra à tant d'êtres de bien passer le pont. »

Merci aux médecins qui participent, ce sont des actes de cette sorte qui font la grandeur de la médecine. C'est aussi la grandeur d'assumer pour apporter, pour libérer tant de souffrances.

Je vous veux tous présents ce soir-là et, si vous êtes là, je recevrai ma vraie Légion d'honneur.

ETTY.

Je connais une partie de la famille d'Etty et j'ai raconté dans mon précédent ouvrage comment j'ai fait la connaissance de sa mère.

Colette, sa petite cousine, est celle qui lui ressemble le plus : même morphologie, même ardeur devant le combat, jolie comme Etty, un peu plus blonde peut-être... J'aime beaucoup Colette, mais je dois avouer qu'en la regardant, j'éprouve toujours un petit choc au cœur. A travers elle, je vois mon ange de lumière !

Colette a rencontré Lucette, avec la même émotion que moi. Lucette, une camarade d'Etty, a partagé ses derniers jours à Ravensbrück. Elle a été le dernier morceau du puzzle et par elle nous avons pu vérifier toutes ces confidences sur sa vie au camp que nous a faites mon guide.

Un après-midi, le 24 décembre, un de mes amis faisait la queue dans un grand magasin à Lyon, avec son chariot. Les clients, très nombreux malgré la chaleur, attendaient leur tour de passer à la caisse. Il y avait beaucoup de nervosité dans l'air, à cause de la longue attente. Une dame d'un certain âge laisse tomber son mouchoir devant mon ami. Il se baisse, le ramasse et le lui rend... et la conversation s'engage.

— Ne nous énervons pas, dit-il, nous avons des chariots pleins de bonnes choses, nous avons bien chaud... pensons à nos amis polonais qui font la queue dès 6 heures du matin, dans le froid, et pour rien !

C'était l'époque des grandes difficultés vécues par la Pologne..

— Vous avez raison, monsieur, répond la dame. Je sais ce que c'est qu'attendre longtemps avec une robe d'été dans un froid glacial, pour obtenir un peu de pain et d'eau...

— Vous avez été déportée ? s'enquit mon ami.

— Oui, monsieur, à Ravensbrück.

— Ravensbrück ! Mon Dieu ! Avez-vous connu Etty ?

— Etty ? C'était mon amie !

— Savez-vous qu'elle se manifeste à Grenoble ?

— Impossible, monsieur, elle est morte dans la chambre à gaz.

— Son corps est mort, pas son âme...

Bouleversés tous deux, ils sortirent de la file pour parler. Lucette — tel était le nom de cette dame —, sceptique, demanda à nous rencontrer. Elle est venue à Grenoble et nous a confirmé tous les détails que je tenais d'Etty sur la vie dans ce camp de concentration.

Lucette a écouté l'enregistrement sur magnétophone que nous avions réalisé alors.

— Seule Etty pouvait dire cela, nous confia Lucette.

Elle nous a aussi confirmé tout ce que nous savions des derniers instants de son amie.

« C'était la panique. Les SS avaient évacué le camp devant les alliés qui arrivaient puis nous ont ramenées ; des camions sont arrivés pour nous embarquer. Je me suis cachée sous une bâche. Nous connaissions tous notre destination. Etty est montée dans le camion et elle a entonné *La Marseillaise*. Il faut dire que son état physique était tel qu'elle désirait en finir. Quelques

47

heures plus tard, les Russes sont arrivés et j'ai été sauvée. »

A quoi tient la vie !

Lucette a été immédiatement convaincue de la survie après la mort. Elle a retrouvé la foi, elle a retrouvé Dieu.

Une courte histoire d'amour a commencé entre nous ; courte parce qu'à son tour elle a rejoint le monde invisible. On aurait dit que notre rencontre était destinée à nous apporter des preuves supplémentaires. La boucle était bouclée.

Quelques mois avant sa mort, j'ai invité Lucette à fêter mes soixante « printemps ». Avec tous les amis du groupe, nous l'avons gâtée autant que nous l'avons pu, car ce jour-là, c'était la Fête des déportés ; à travers Lucette, c'était aussi celle d'Etty et des millions d'autres que nous honorions, tous ces martyrs qu'il ne faudra jamais oublier, tous ces jeunes qui ont donné leurs vingt ans pour que nos enfants vivent les leurs dans la liberté.

MON BÂTON DE PÈLERIN

Si, pendant toutes ces années, avec les enfants à charge nous n'avions pas pu beaucoup voyager, la vie, le bon Dieu nous réservaient une drôle de surprise !

Dès la parution de *Médecins du ciel, Médecins de la terre,* un peu partout des signatures ont été organisées, en France, en Suisse, en Belgique, au Québec. Nous avons été reçus dans de grandes villes, dans les FNAC, chez les libraires.

Je précise « nous », parce que je ne me sépare jamais de mon mari, Daniel ; tout d'abord parce que nous présentons une anomalie : après tant d'années de mariage, il nous est impossible de nous séparer plus de quelques heures. A notre époque, les vieux couples qui s'aiment deviennent chose rare ; nous n'osons presque plus le dire ! Sans lui, rien ne serait arrivé, je n'aurais jamais écrit de livres ni fait de conférences.

Nous avons vécu ces voyages, au début, un peu comme des enfants en vacances, éblouis par les hôtels luxueux, les grands restaurants, et puis... très vite fatigués par la foule, par toute cette souffrance rencontrée, par toutes les confidences reçues, par les détresses cachées, par les milliers de lettres qui nous attendaient à chaque retour et ce téléphone qui sonnait sans arrêt...

En ai-je passé des dimanches, sans même m'habiller, en robe de chambre, pour essayer de répondre quelques lignes à chacun... quitte à me faire morigéner par la suite. Du style : « Je vous ai écrit quatre pages, vous m'avez répondu quatre lignes ! »

Je ne parle pas des milliers de timbres achetés. Je crois qu'il est impossible à ceux qui vivent dans une grande douleur de l'admettre, mais moi qui comprenais très bien leur souffrance, impuissante à faire face à la demande, à répondre à chacun comme il l'attendait de moi, je pleurais. En ai-je versé des larmes d'impuissance, et combien de fois, Daniel et moi, le visage en pleurs, nous avons imploré et prié Dieu de pallier notre impuissance devant ce flot qui nous submergeait et supplié, dans notre prière, nos médecins du ciel d'aider *tous ces gens !*

Le pire, pour moi, s'est produit un dimanche soir. Épuisés par une tournée de conférences, nous rentrions pour nous mettre au lit ; il avait plu à torrent, nous avions roulé difficilement. A 22 h 30, 23 heures environ, une personne m'appelle pour me raconter sa vie. Je ne pouvais même plus entendre les mots, et surtout les assimiler. Calmement, je lui explique ma fatigue et lui demande de me rappeler le lendemain matin. Une voix furieuse me dit alors :

— Où est-elle la Maguy du livre qui est soi-disant à l'écoute des autres ? Parce que je la dérange un soir, elle ne daigne même pas me répondre ! Elle est bien comme toutes les autres !

Je comprends cette réaction. Chaque douleur, cha-que souffrance est unique pour celui qui la vit. Mais il faut pouvoir être à l'écoute à ce moment-là, et ça n'est pas toujours si facile !

C'est aussi pourquoi je n'ai pas de répondeur sur mon téléphone. Je veux pouvoir recevoir l'appel directement, quand je suis chez moi, de jour comme de nuit — les appels d'angoisse étant plus fréquents la nuit...

Très souvent j'entends :

— Maguy, je vais mourir. Je veux entendre votre voix. Parlez-moi !

A chaque fois, je suis bouleversée. Comment pourrais-je ne pas répondre ?

Au cours des conférences données uniquement dans le but de sensibiliser les hommes à la solitude et à la détresse d'autres hommes, d'autres femmes, il m'est arrivé bien des aventures, bien des anecdotes que je voudrais vous conter.

De drôles, de pathétiques, de tristes, de belles, de réconfortantes...

... Un soir, dans une grande ville étrangère, à mon hôtel, une jeune fille handicapée, marchant avec des béquilles, vient me voir. Elle m'explique son histoire. Elle sait parfaitement que sa maladie invalidante est sans espoir de guérison.

— Mais peut-être pouvez-vous m'aider, me dit-elle, ne serait-ce qu'à accepter sans révolte.

Nous parlons un grand moment et je la prie de venir le lendemain à la conférence, lui promettant de faire faire une minute de prière par la salle, spécialement à son intention.

Le lendemain, à la fin de ma causerie, j'obtiens une salle vibrante et demande une minute de prière et de silence pour cette jeune fille, expliquant son cas et, devant cette salle très croyante et très motivée, nous faisons une minute, main dans la main, de prière et de visualisation positive pour elle. Prise d'une immense fatigue et incapable de se déplacer, elle n'avait pu venir.

A la sortie de cette grande salle, une jeune fille « à béquilles » se promenait dans les couloirs et les gens sortant de la conférence, encore « imbibés » si j'ose dire, vont à elle en l'interpellant : « Maguy nous a demandé de prier pour vous ! » Plusieurs personnes, avec enthousiasme, lui répètent la même chose, et cette jeune fille, qui n'était pas du tout au courant, se trouve mal et tombe !

J'étais intéressée par cette histoire inattendue lorsque, le lendemain, cette même jeune fille arrive, sans béquilles, marchant normalement et le soir, au restaurant, je l'ai vue, son plateau à la main, faire la queue comme tout le monde... et sans *la moindre béquille !*

Guérie ? Pas guérie ? Je n'en sais rien. Mais je suis sûre que ce jour-là Dieu lui a fait un clin d'œil ! As-tu su le voir, petite amie ?

Je venais de terminer une autre conférence à Paris. Comme d'habitude il y avait beaucoup de monde et tout s'était bien passé. A la sortie, un monsieur s'approche de moi et m'aborde... Je l'avais repéré dans la salle, très attentif à mes propos.

— Pardon, madame, j'aime bien ce que vous avez dit, mais quelle est votre attitude vis-à-vis de l'Église catholique ?

Je réalise, à ce moment-là, que j'ai devant moi un jeune prêtre, très sympathique au demeurant.

— Lorsque vous faites votre gymnastique le matin, quelle est votre réaction vis-à-vis de l'Église ? lui demandai-je à mon tour.

— Aucune. Merci, madame. C'était un peu facile !

— Pardon, lui dis-je en lui courant après, puis-je aussi vous poser une question ?

52

— Bien sûr.

— Si le Christ revenait sur la terre aujourd'hui, comment pensez-vous que son Église le recevrait ?

Il m'a fixée, ouvrant la bouche, l'air très malheureux, et il est parti sans pouvoir me répondre, sauf un « Aah... » prolongé. Il était si gentil. J'ai regretté d'avoir posé la question... Qui peut me répondre ?

Au moment où l'Église indécise se demandait : « Maguy Lebrun, secte ou pas secte ? », je faisais une conférence dans une ville du sud. Une dame, pendant les questions écrites (je les préfère aux autres car je peux les lire au micro et répondre ou non selon ma compétence, très limitée...) m'interroge :

— Maguy, savez-vous que notre évêque a fait paraître une mise en garde contre vous, en disant que votre Dieu n'était pas le même que le sien ?

Stupéfaite, devant la salle hilare qui applaudissait, j'ai répondu que c'était bien la première fois que j'entendais un évêque dire qu'il existait deux Dieux, le sien et celui de Maguy Lebrun ! Quelle tristesse !

Si le Dieu auquel il croit n'est pas le même que le mien, il doit penser aussi que des millions d'hommes sur la terre sont damnés. Le Dieu en qui je crois, moi, est celui de tous les hommes. Le Christ en qui je crois est venu pour tous les hommes. Il a donné sa vie pour racheter tous les péchés des hommes, les pauvres, les humbles, les malades, les ignorants, les miséreux et aussi tous ceux qui ne le connaissent pas ! Alors, Monseigneur, même si je me trompe, je préfère croire au mien !

Parmi les témoignages plus émouvants les uns que les autres, voici celui d'une maman qui vient me demander de témoigner devant la salle entière, attentive.

« Ma fille, il y a quelques mois, très malade, en phase

finale, a voulu assister à une causerie sur la mort faite par Maguy. Nous avons dû l'y amener en fauteuil roulant, car elle ne pouvait plus marcher. Le lendemain, elle a réuni toute la famille. " Je sais ce que j'ai, dit-elle. Je sais que je vais mourir et que vous le savez, mais vous avez voulu, en vous taisant, m'épargner... "

« Pendant quinze jours, elle a tenu à préparer la famille, dans un éveil de conscience rare. A son départ, elle a offert sa souffrance pour l'humanité. De par son acceptation, elle a pu transcender son épreuve en " pluie de roses ". Elle a ouvert des portes et l'énergie cosmique a pu la pénétrer, comprenant que la guérison spirituelle n'est pas toujours physique. Cette réalité n'est pas facile à accepter ; il faut déjà avoir marché sur le chemin... Les énergies reçues sont souvent au même niveau que les vibrations émises, plus l'aura se purifie et s'élève, plus les vibrations sont rapides, mais nous ne pouvons pas tous accepter cette paix de guérison comme cadeau du ciel. Elle ne pourra devenir paix que le jour où nous ne croirons plus en la mort, mais en la vie, à un autre niveau de conscience. J'ai voulu témoigner de cette expérience extraordinaire qu'a été la mort de mon enfant, dit la maman, pour que la vérité puisse être révélée en toute clarté, au malade qui le désire et aux siens. Ces mourants sont d'une richesse inouïe et, sans empêcher l'atroce chagrin, aident bien à le supporter. »

Une autre jeune femme m'écrit encore :

« Après votre conférence à Nantes, nous avons pu vous approcher, vous embrasser et vous nous avez dit : " Aimez-vous toujours ! " Nous n'oublierons jamais. Peu de temps après, nous avons lu une mise en garde de l'Église contre vous. Notre première réaction a été une grande révolte ; c'est un jugement irréfléchi et inconcevable. Nous sommes nombreux à en avoir discuté ensemble et nous en avons conclu que nous avions une immense chance de vous connaître. Nous ne pouvons accepter le jugement de ces hommes qui comprendront un jour, nous l'espérons. Nous suivrons toujours la route de l'Amour. »

Cette route, qui est celle de Dieu...

Il est pourtant normal que l'Église se méfie devant un mouvement nouveau, qui prend une certaine ampleur même si celle-ci nous a surpris nous-mêmes. Il y a tant de suspects ! Mais notre respect de la religion de chacun les a, je pense, rassurés et ils comprendront que nous sommes seulement des rassembleurs et ne cherchons pas à prêcher quoi que ce soit à personne ; nous agissons dans le respect du libre arbitre de chacun, et de l'autonomie absolue de chaque groupe. Je remercie tous ceux, très très nombreux qui m'ont adressé leur soutien à ce moment-là.

Par ailleurs, je souhaiterais mettre les choses au point : ces tournées de conférences ne sont pas entreprises dans le but de me faire connaître, mais dans celui d'aider, d'ouvrir à une autre réalité l'esprit des gens qui viennent m'écouter.

Voici, parmi d'autres, un exemple de ce que ces messages d'amour et de confiance en la survie, lorsqu'on parvient à les transmettre, peuvent provoquer.

Après être venue à une conférence, une personne apprend qu'elle est atteinte d'une maladie grave. Elle a très bien compris que la prière est une force soignante, un nouvel état d'esprit qui permet au malade d'utiliser les forces spirituelles et cosmiques dans lesquelles nous baignons et les forces d'amour de l'entourage, de la famille, des amis qui aident à un accompagnement serein et heureux. Elle demande alors à tous ses enfants de venir quelques minutes, tous les jours, à 20 h 30, prier avec elle, main dans la main. Toute la famille s'est réconciliée autour de la mère et, dans ce climat de foi, elle a vécu une expérience affective inoubliable, là où aurait pu éclater un drame. Elle est partie, paisible, pour ce pays de lumière auquel elle croyait.

Pour me remercier, sa famille m'a écrit et je vous livre le poème que son mari, la nuit même de la mort de sa femme, a rédigé.

> *Tous ils étaient là*
> *Contemplant ton visage avec son sourire*
> *Tous fidèles au rendez-vous*
> *Aux portes de la joie dans le déclin du jour*
> *Au seuil d'une vie bien remplie*
> *Tissée de liens d'une force invisible*
> *Serrés, Serrés*
> *Comme maillons de chaîne d'amour*
> *Baignant dans un monde de forces spirituelles*
> *Ça sentait bon la rose bleue*
> *Au bruissement des feuilles d'automne*
> *Où le rêve s'arrête pour d'autres couleurs,*
> *D'autres jeunesses*
> *Passe la tourmente*
> *Passe la vallée des larmes*
> *Chemin franchi de la nouvelle étape*
> *Avant d'atteindre la colline de l'espoir*
> *Pour t'arrêter, oubliant la souffrance*
> *Devant l'inconnu du grand horizon*
> *Et soudain,*
> *Univers et splendeurs*
> *Splendeur du ciel de paix*
> *Tes yeux se sont refermés*
> *Rendant grâce, avec nous tous*
> *A l'ÉTERNEL.*

(J.)

Tout ce que nous donnons nous est rendu au centuple, tout ce que nous semons sur un terrain fertile pousse bien. Quand mon père, paysan, semait des carottes, il récoltait des carottes...

J'étais alors au Québec, après une conférence de plus, assise devant une petite table, pour une signature de livres, une longue file devant moi ; chacun, patiemment, attendait son tour, lorsqu'une jeune femme me dit : « Je ne sais pas pourquoi, Maguy, depuis ce matin, à mon réveil, j'avais une idée fixe : te voir, te rencontrer à tout prix. Mes parents ont été tués dans un accident d'avion à côté de Grenoble. J'étais encore bébé, je ne les ai pas connus et, adoptée dans la famille, je n'en ai pas souffert et je ne sais pa pourquoi je suis poussée à venir te raconter mon histoire. »
Une grande émotion m'a saisie et je me suis vue, trente-cinq ans en arrière, couchée sur mon lit de souffrance après la difficile naissance de ma fille, écoutant les infirmières parler d'un avion canadien tombé à l'Obiou, en percutant la pointe de cette montagne. Tous les occupants étaient morts. Quand on est malade, on est encore plus sensible, encore plus vulnérable à la souffrance des autres. J'ai pensé alors que dans cet avion des jeunes gens étaient morts sans y être préparés. Brusquement, j'ai décidé d'offrir ma douleur pour tous ces Québécois inconnus, venus mourir en France. Toute la journée j'ai lutté contre cette terrible tenaille dans la poitrine, essayant de ne pas prendre de calmants. Je me revois, épuisée, serrant les dents et priant pour eux. Trente-cinq ans après, cette jeune femme vient réveiller ce vieux souvenir

oublié, me jetant d'un seul coup, par surprise, un instant de ma vie au visage. Je réalise que rien n'est jamais perdu et que nos actes nous suivent et nous retrouvent.

Je lui racontai l'histoire : « Je sais, moi, pourquoi tu es ici. Une prière offerte n'est jamais perdue. Pour la première fois où je foule la terre du Québec, mes amis de l'au-delà se débrouillent pour venir me saluer, me faire un signe et me dire merci à travers toi. Je sais que mon séjour au Canada sera heureux : je suis prise en charge ! »

Et il est vrai que le Québec m'a énormément séduite, ses habitants sont si sympathiques ! J'adore leurs rires, leur spontanéité et la première fois où j'ai fait une causerie à l'auditorium du CEGEP de Rosemont, à Montréal, et que j'ai vu la salle entière se lever et chanter « Maguy, on t'aime », j'ai été infiniment touchée. J'ai été également conviée à quatre émissions télévisées, j'ai participé, à Trois-Rivières, au Symposium de Shawinigan, mais depuis, beaucoup de Québécois sont venus me voir en France ; certains sont devenus des amis et les groupes d'accompagnement commencent à démarrer là-bas. On m'a sollicitée plusieurs fois de retourner dans ce pays magique que j'aime. Peut-être un jour, si Dieu le veut !

Dieu, Dieu qui commande au cœur des hommes... Ainsi, un jour, ai-je reçu cette lettre d'un père de famille : « J'ai suivi avec attention votre conférence. Depuis, mon cœur et mon âme s'ouvrent à Dieu. J'ai retrouvé mon équilibre grâce à la prière et à la lecture des Évangiles. J'ai quatre enfants et espère que jamais ils ne souffriront de ce manque de la Parole de Dieu. Malgré les énormes difficultés de la vie, nous considérons cette situation comme une leçon car j'ai beaucoup péché. L'ouverture de mon esprit, sous le regard d'amour de ma femme, de mes enfants que j'ai fait souffrir, est un immense espoir... »

L'important, n'est-ce pas, c'est de trouver la bonne route ; les erreurs du passé, bien sûr, ne peuvent être effacées, mais elles peuvent en revanche être totalement pardonnées et servir de leçon pour aujourd'hui et pour demain. Nous avons tous commis des fautes, personne n'est parfait, mais Etty me dit toujours : « Seuls les imbéciles commettent plusieurs fois la même faute ! »

Quand un père revient à l'amour des siens, les fautes passées sont très vite oubliées et le bonheur est une plante merveilleuse : il suffit de la soigner pour qu'elle reprenne vie !

Parfois, les conférences sont pour moi l'occasion de prendre un fou rire.

La salle de la Mutualité, à Paris, est immense. Elle contient deux mille places. Quand je suis arrivée devant une rue surpeuplée, j'ai cru à une manifestation. J'ai alors interrogé un monsieur : « Que se passe-t-il ? » et il m'a répondu : « On attend Maguy Lebrun ! »... ça m'a fait un drôle d'effet...

Lorsque je suis rentrée dans la salle, un autre curieux m'a demandé si je faisais une conférence pour Mitterrand, pour Rocard ou pour Le Pen. Lui ayant répondu que je faisais une conférence sur la guérison spirituelle, il m'a assurée qu'il n'y aurait pas un chat... et quand il a vu la foule, il n'en crut pas ses yeux !

Les conférences procurent beaucoup de témoignages spontanés et merveilleux. Certains émanent de médecins, parfois d'artistes, tel celui-ci :

59

« En tant qu'artiste je veux vous remercier pour ce que vous faites. Je vous ai écoutée à la Mutualité, lors de votre passage à Paris. Quel monde ! Vous avez donné un sens à ma vie, à mon métier, qui n'étaient l'une et l'autre qu'un puzzle sans modèle. Vous avez rassemblé les pièces, vous m'êtes apparue comme une image. Ma vocation d'artiste, je vais la mettre au service des autres ; grâce à elle, je vais pouvoir me rendre utile. Notre rencontre a provoqué un déclic, voire un miracle ! J'ai été transformé de l'intérieur. Je n'oublie pas la prière de 20 h 30. »

J'ai rencontré, au cours de mes déplacements, beaucoup d'artistes en tous genres ; certains, je dois le dire, sont venus vers moi par curiosité, mais parmi eux je me suis toujours fait beaucoup d'amis, toujours prêts à aider les groupes. Les artistes sont un peu médiums, comme les poètes ; ils retransmettent quelque chose qui leur vient du ciel. Eux aussi sont des instruments, et s'ils en prennent conscience et demandent l'aide de Là-Haut, ils peuvent devenir de très grands artistes inspirés et faire passer beaucoup de choses dans leur art.

Dernièrement, au cours d'une conférence faite à la Sorbonne, destinée tout particulièrement à des médecins, infirmières, thérapeutes divers, à tous ceux qui veulent bien donner un peu de temps et de présence aux malades, j'étais précisément accompagnée de trois médecins. L'un est professeur en pédiatrie et patron d'un grand hôpital, l'autre est cancérologue et le troisième homéopathe. De même que nous nous efforçons de réconcilier les religions et les ethnies, de même nous nous efforçons de réconcilier médecines « classiques » et médecines « différentes »…

Un médecin qui avait assisté à cette conférence m'a écrit cette très belle lettre :

« Votre exemple thérapeutique et spirituel me touche. Nous sommes plusieurs médecins à avoir envie de réaliser au Népal et à Bénarès un projet humanitaire. Il y a beaucoup d'assistants de dispensaire pour traiter l'urgence, mais il est nécessaire pour nous d'ajouter une autre dimension à notre thérapie, le don d'amour. La prière en serait le centre, afin de donner une autre signification à la souffrance. J'aimerais que des médecins de différentes cultures avancent main dans la main et prient ensemble, au-delà, et en respectant leur religion. Il me paraît important de donner des possibilités spirituelles aux techniciens de la santé, la possibilité d'offrir quelques mois de leur vie pour soulager et aider à découvrir l'amour. L'action est une voie de réalisation et de travail spirituel. Nous sommes avec vous dans la prière. Dr G. »

N'est-il pas merveilleux de penser que notre humble message peut aujourd'hui, grâce à ces médecins exceptionnels, traverser les continents et faire naître une solidarité, une fraternité infiniment précieuses ?

A la suite d'une causerie, un autre médecin m'a également fait parvenir ce témoignage :

« Médecin depuis dix ans, j'ai assisté à une de vos conférences. J'ai été bouleversé par la simplicité des faits. Rencontrer l'amour existant sur terre est rare ; cela réchauffe le cœur, donne plus de poids à notre mission de soigner ; nous nous sentons si impuissants parfois ! Je n'oublierai jamais la salle debout, silencieuse, priant. Cette communion partagée et ensuite, ces centaines de gens applaudissant, debout, tétanisés par tout cet amour. J'aimerais travailler dans un groupe d'accompagnement et j'essaierai d'être là, humble et plus que le canal du divin. Dr M. »

Il y a donc encore, de par le monde, beaucoup de

vrais médecins, habités par leur volonté de soigner, prêts à donner tout ce qu'ils peuvent à leurs patients, à se battre par tous les moyens pour les guérir. A ceux-là, il me paraissait nécessaire de rendre hommage.

Très souvent, les médecins des villes que je traverse viennent me rejoindre, présents à mes côtés pour me soutenir. Ils apportent un appui considérable dans cette alliance « corps-âme » qui présente une vision globale, holistique de l'homme.

Alors que je passais en Belgique, où je donnais une conférence intitulée « Accompagnement du malade vers sa guérison ou son départ », j'ai reçu cette lettre émouvante :

« Grand merci pour votre conférence. J'ai été très touchée lorsque vous avez dit qu'il fallait savoir donner non son superflu, mais aussi son nécessaire ! En un instant, un film s'est déroulé devant moi, celui de mes sacrifices pour aider. Je suis professeur, consacrée entièrement à " mes enfants ". Dieu sait que ça n'est pas facile ! Mais je pense faire mieux maintenant... Une dame m'accompagnait. Elle a perdu un de ses fils, ne comprend pas, cherche des explications. Elle était heureuse de vous avoir entendue. Je trouve admirables ces médecins autour de vous, qui vous aident. Je vous remercie, ainsi que toute votre équipe de médecins, pour l'aide que vous m'avez apportée. »

Il est aussi des moments difficiles...

Un jour, nous partions faire une conférence, lorsque mon mari a eu un malaise au volant. Heureusement, nous avons pu trouver, pas très loin, un médecin charmant qui l'a fait rapatrier à Grenoble en ambulance.

Atteint d'une pancréatite — très grave à son âge —

Daniel a été très fatigué. J'ai vécu alors des moments très douloureux car il est pénible de voir souffrir celui qu'on aime. Mais j'ai aussi réalisé ce que j'ai toujours proclamé haut et clair, c'est que si un malade doit connaître la déchéance, il vaut mieux qu'il parte plutôt que de rester diminué. Qui souhaiterait vivre, pour soi-même, cette déchéance ?

Daniel n'a pas souffert du tout et il m'a simplement raconté ce qu'il voyait en état de dédoublement total. Je pense qu'il est passé très très près du grand départ. Heureusement, les médecins sur lesquels nous sommes tombés à Grenoble ont été, d'une part, très compétents et très présents de l'autre. Par ailleurs, les informations de télévision locale avaient annoncé l'annulation de la tournée de conférences que je devais faire, la nouvelle s'est alors répandue comme une traînée de poudre dans tous les groupes de France qui se sont mis en prière immédiatement.

Je veux remercier du fond du cœur tous ceux qui m'ont portée dans ces moments difficiles. Leur amitié, leur force, leur présence d'amour nous ont été précieuses et c'est bien grâce à tous que Daniel va bien aujourd'hui.

Je devais, à cette époque, faire une causerie à Grenoble au Palais des Congrès, sur l'accompagnement des malades en phase finale ; la salle était louée depuis longtemps. J'avais passé plusieurs nuits à veiller Daniel et je me demandais si j'aurais la force et le courage de parler en public. Mais avec l'aide des médecins du ciel, celle de tous les amis rencontrés sur la route, j'ai pu le faire dans cette immense salle qui était pleine.

J'ai reçu tant de messages de remerciements, de lettres, que j'ai choisi l'une des plus représentatives, en hommage à tous ceux qui ont eu la gentillesse de m'écrire. De plus, elle émane d'un homme qui s'occupe d'un centre d'Emmaüs.

« Nous avons écouté avec beaucoup d'attention votre causerie, le 9 novembre, à Grenoble. Nous avons ressenti beaucoup d'émotion et d'admiration pour votre courage, sachant l'épreuve que vous traversiez. Je voulais vous voir, avant, pour raison personnelle. Un de vos fils (vous en avez tant !) m'a expliqué la situation — que son père avait failli franchir le passage, que vous seriez là à la dernière minute et repartiriez vers lui aussitôt —, nous avons tous ressenti votre grande peine et compati à votre épreuve. Nous vous avons observée avec encore plus d'attention, nous voulions savoir qui vous étiez... nous avions lu votre livre et, malgré certains points délicats, comme la réincarnation ou le contact avec l'au-delà, nous sommes convaincus que lorsqu'un être pratique l'humilité et la prière, il est près de Dieu. Vous avez eu beaucoup de courage. Parler de la mort, sujet pas facile et souvent sans espérance pour les hommes d'aujourd'hui... Vous vous êtes exprimée avec beaucoup de foi, témoignage à l'appui, n'est-ce pas l'essentiel ? Qu'il est beau ce chant : " Mon enfant de Lumière ! " Nous étions projetés dans une autre dimension spirituelle. Rendez-vous à 20 h 30 tous les soirs... Que le Seigneur vous accompagne, comme ces messagers depuis trente-cinq ans. »

Je ne sais même plus si j'ai répondu à cette merveilleuse lettre, comme aux nombreuses, si nombreuses autres reçues à cette époque, et qui m'ont tant apporté.

DE TÉMOIGNAGES EN TÉMOIGNAGES

Il peut paraître fastidieux de lire les témoignages qui m'ont été apportés par milliers, après la parution de *Médecins du Ciel*... pourtant, ils sont tous porteurs d'une expérience différente, tous profondément émouvants ou encourageants. Tous de nature à « servir l'établissement de la vérité », ce qui est le propre du témoignage.

Celui-ci émane d'un grand malade suivi par un groupe d'accompagnement et qui est maintenant guéri depuis des années. Il a tenu à ce que son histoire serve à d'autres patients.

« Chacun de nous avance sur le chemin de la vie. Chacun de nous est irremplaçable et unique. Personne ne peut poser son pied au même endroit que moi, en même temps que moi, c'est *ma* responsabilité. De ce chemin parcouru je veux vous parler : c'est mon expérience d'ancien malade, c'est mon témoignage, c'est ma vérité.

« Lorsque, il y a neuf ans maintenant, je suis retombé malade, j'avais deux solutions : la première était de faire le dos rond et d'avoir une confiance aveugle en la médecine. La deuxième, de me poser des questions et de me remettre en cause.

« C'est ce que j'ai fait. Dans un premier temps, l'aspect technique et médical de la chimiothérapie, de la radiothérapie, de la chirurgie, devait, bien sûr, être assuré. Mais mon questionnement m'a fait cheminer. Si les mêmes causes donnent les mêmes effets, qu'est-ce que je dois changer dans ma vie pour ne pas continuer ce processus autodestructeur ?

« Grâce au silence et au calme de la maladie, à la thérapie, aux lectures, aux amitiés, l'écoute nécessaire de moi-même et de mes besoins, j'ai mûri ces questions. Je sentais au fond de moi-même, par toutes mes fibres, que je faisais fausse route jusqu'alors. Qu'est-ce qui s'était passé pour moi depuis dix ans pour que j'en sois arrivé à me fabriquer un cancer ?

« J'ai eu mon diplôme, je me suis marié, j'ai eu deux enfants, j'ai acheté un cabinet, une maison... combien d'autres font tout ça et ne se rendent pas malade !...

« Et alors j'ai trouvé ! Je vivais par procuration : les autres étaient pour moi une raison de vivre ; toujours disponible à mes patients, toujours accueillant ; le masque de la perfection ! Mais au fond de mes cellules — puisque mes yeux ne voulaient pas voir —, une révolte, une rébellion intérieure... et la maladie qui ne pouvait être évitée ! Cette lumière m'a aveuglé ! Si c'était impossible que je meure, si tout mon être se révoltait à cette pensée, c'est que j'avais de la *valeur,* que je pouvais exister pour moi-même, que j'étais unique et irremplaçable.

« Quelle découverte ! me direz-vous. C'est une chose que l'on entend dire et redire. Non... une découverte vécue et sentie. Je me suis autorisé à vivre mes sentiments, mes émotions que j'avais appris à réprimer. J'ai appris à m'aimer *moi-même. Je me suis fait confiance, j'ai cru en moi.*

66

« Amis malades, voici mon chemin... et aujourd'hui encore je travaille à enlever les dernières écailles de cette carapace. J'ai cheminé avec des personnes qui sont devenues des amis, avec d'autres dont je ne connais que le visage ou le nom. Ce que je sais, c'est qu'autour de moi, tous donnaient... de leur temps, de leur énergie, de leur force, sans me connaître. Et ça aussi, ça a compté ! Le déclic s'est fait à cette occasion : si les autres prêtent attention à moi, c'est que *j'ai de la valeur !*

« Et maintenant, il est bien naturel que je participe à la chaîne de la vie : je donne ma part, d'abord en témoignant, mais en ayant très fortement conscience que si les amis m'ont permis de voir la lumière, c'est moi qui ai accepté d'ouvrir les yeux... Dans une chaîne, chaque maillon est plus qu'utile, il est indispensable à la tenue de l'ensemble. Si un seul chaînon lâche ou casse, toute la chaîne devient inutilisable. Dans la chaîne de la vie de l'univers, Dieu en a décidé ainsi dans sa Grande et Infinie Sagesse : nous sommes tous indispensables les uns aux autres, mais nous avons d'abord et avant tout la responsabilité de nous-mêmes.

« *Nous ne pouvons apporter aux autres qu'en étant nous-mêmes en vérité.* Je ne peux donner que ce que je suis. Responsabilité de nous-mêmes vis-à-vis des autres, de l'univers, de Dieu, et Dieu lui-même ne peut rien contre ça. Il nous a créés *libres*.

« Tout homme qui s'élève élève le monde, a dit, je crois, saint Augustin. J'ai grandi, je me suis élevé grâce à la présence des autres, amis et inconnus, grâce à leur soutien, à leur amitié, à leur amour.

« Amis qui êtes malades, je prie de tout mon cœur pour que vous trouviez Votre Lumière, dans votre épreuve. »

En lisant ce texte, je pensais au titre donné par un religieux américain à l'un de ses ouvrages : *Nul n'est une île*. Thomas Merton nous signifiant ainsi à quel point personne ne peut prétendre au total isolement, à la totale « séparation »...

Beaucoup de libraires m'ont écrit. Leur témoignage m'a d'autant plus touchée qu'ils ont toutes les raisons d'être blasés, compte tenu de l'avalanche de livres à laquelle ils doivent faire face.

« Les éditions Robert Laffont nous ont offert une affiche grand format pour notre vitrine de présentation. Je viens de relire très attentivement *Médecins du ciel, Médecins de la terre*. Le témoignage du Pr Simon Idelman très étonnant — " étymologiquement " —, aussi troublant qu'admirable, donne en exemple la citation de Descartes : " L'étonnement est un excès d'admiration qui ne peut jamais être mauvais. "

« En ce qui me concerne, j'ai éprouvé, lors de cette lecture, un sentiment de très vive admiration pour cet extraordinaire climat spirituel qui plonge dans le concret et ne se contente pas de vagues paroles lénifiantes. Quel courage ! Combien l'on se sent lamentable et étriqué devant cette spiritualité et cette action aussi vivantes que joyeuses, pourtant confrontées à de si dures adversités, quelle lumière !

« Cinquante années de vie professionnelle m'ont conduit à un certain scepticisme, une vive méfiance devant les innombrables écrits, pseudo-témoignages ésotériques ou conventionnels de religions établies ou non. Cela me remet en mémoire une phrase de François Mauriac : " Nous méritons toutes nos rencontres, elles sont accordées à notre destin et ont une signification qu'il nous appartient de déchiffrer. " S.R. »

Une chose est certaine : les librairies m'ont soute-

nue... puisque ce livre a encore du succès, quatre ans
après sa parution, et que la quinzième édition vient
d'être tirée à douze mille exemplaires.

Je me souviens de ce qu'Etty me recommandait :
« Ce livre doit être simple pour ceux qui ne lisent pas,
pour ceux qui n'écoutent pas les émissions culturelles,
intellectuelles. Il faut qu'il soit la première marche, la
première porte pour ceux qui, comme toi, sont des
humbles. »

Merci donc à tous les libraires qui m'ont aidée à
passer le message d'amour et de simplicité !

Beaucoup d'amis atteints du Sida se font suivre dans
les groupes pour y trouver un peu de chaleur et d'aide.
Ainsi en témoigne cette lettre :

« Que j'ai été heureux d'assister, à la Mutualité, à la
conférence sur les groupes d'accompagnement ! Le
moment de la prière collective a été très très fort.
Depuis, tous les soirs à 20 h 30, je prie et j'y invite mes
amis.

« J'ai pu trouver un groupe près de chez moi. J'ai le
Sida ; j'étais désespéré, une amie m'a prêté votre livre,
sa lecture m'a bouleversé. Je pensais mourir à petit feu,
mais j'ai réalisé *tout ce qu'une maladie peut apporter de
positif*. J'ai compris qu'il faut combattre et non se laisser
abattre. Je me suis élevé spirituellement, et aujourd'hui
je me sens beaucoup mieux qu'avant la maladie. Je
comprends pourquoi je suis sur terre. Un tas de gens
m'aident, je ne suis plus seul, je trouve cela fantastique !... Que la paix de Dieu soit avec vous. P. »

Nous avons tous un petit ordinateur dans la tête qui
commande bien des choses. Dans de nombreux
groupes, des malades atteints du Sida ont de longues
rémissions. L'aide spirituelle, mais surtout la sortie de
l'isolement peuvent aider considérablement ces

malades et permettent à leurs traitements médicaux de mieux agir. Souvenez-vous du baiser au lépreux dont parle saint François d'Assise ! La lèpre est également une maladie contagieuse ; la force de la prière d'un saint l'a guérie. Nous ne sommes certes pas des saints, mais qui sait si, un jour, tous ensemble, nombreux, fervents, la fantastique force de la prière et de l'amour ne pourra pas faire un miracle, si Dieu le veut ! Ces malades, plus que d'autres peut-être, ont besoin d'amitié. Le Dr Kübler-Ross, dans ce domaine, bien que rejetée dans ses travaux et dans ses centres d'accueil, continue de se battre pour eux, pour les enfants. Je l'admire de toute mon âme.

Et je me rappelle, malheureusement, qu'elle a écrit avoir un jour accompagné à la messe un jeune homme « sidéen ». Le prêtre officiait. Il lui a demandé d'éviter d'amener cette sorte de malades, parce qu'il ne voudrait pas prêcher devant des bancs vides...

Nous avons, il est vrai, tant de mal à nous résigner à la mort, à celle de nos proches, de nos enfants...

Ainsi Raoul, dix-neuf ans, à la suite d'un accident de voiture est emmené à l'hôpital pour une banale fracture. L'anesthésie est ratée. Coma profond, arrêt cardiaque, etc. Après une difficile réanimation, légère reprise des battements du cœur... mais l'électro-encéphalogramme est toujours plat. Les médecins décident de débrancher, le jugeant irrécupérable, mais l'ardente lutte des parents qui refusent de se rendre à l'évidence oblige à maintenir cette réanimation dont personne ne voulait. La présence, la demande et l'amour fantastiques des parents font que, contre toute attente, il sort de son coma profond. Il semble entendre et comprendre, en battant des paupières, deux ans après. Les parents font alors tout pour le tirer de là, consultent voyants et magnétiseurs qui leur donnent un espoir insensé de retour à la santé...

Quelques mois plus tard, un courrier m'apprend que Raoul est toujours réduit à un état végétatif.

Je suis infiniment triste de toutes ces lettres, qui montrent que l'amour fou des parents, au lieu de libérer leur enfant et permettre son départ vers la lumière, par ignorance, le maintient et va le maintenir pendant des années dans un corps sans conscience, devenu un « légume ». Est-ce là le véritable amour? La souffrance, l'impuissance dans un corps totalement paralysé au lieu du bonheur qu'on peut imaginer, du départ sur l'autre rive! Je pense qu'en pareil cas, les parents, quel que soit leur amour, ont inconsciemment agi *pour eux* mais non pour lui.

Si les médecins décident de « débrancher », ce n'est pas de gaieté de cœur, et j'en connais plus d'un à qui ce geste pose de gros problèmes de conscience et des nuits sans sommeil. Mais je pense qu'il y a des limites à la survie artificielle comme à l'acharnement thérapeutique, et même si bien souvent la médecine fait des miracles et en fera de plus en plus avec les progrès en cours, il y a aussi des limites, et dans certains cas il faut s'incliner devant la volonté de Dieu et savoir accepter.

Je viens de vivre une expérience très émouvante à ce sujet. De jeunes parents me demandent d'aller voir leur petite fille, un premier enfant, en réanimation. Ce bébé intubé de toute part, mignon comme tout, me bouleverse. Il faut vraiment être croyant pour admettre et accepter la souffrance d'un petit enfant, et il faut surtout bien savoir que ce n'est jamais « pour rien ».

La maman me confie qu'elle pense que son enfant a des « crises d'angoisse ». Je lui réponds alors que c'est fort possible et qu'il faut lui parler. « Dites-lui que vous l'aimez très fort, que vous êtes très heureux, vous ses parents, de l'avoir, mais que si elle doit repartir très vite vous saurez accepter sans révolte. Qu'elle soit rassurée. »

Deux jours plus tard, la maman m'appelle pour m'apprendre qu'après avoir suivi mon conseil, sa petite fille a eu son premier sourire et que, depuis, elle n'a plus de crises d'angoisse, qu'elle va mieux.

Nos enfants ne sont pas *nos* enfants... Cette constatation ne devrait pas surprendre...

Bien des mamans m'ont offert, en cœur à cœur, des témoignages extraordinaires. Il m'est impossible de tous les retenir. Je vais tenter de rapporter surtout ceux qui peuvent servir à d'autres qui vivent peut-être la même expérience, les mêmes souffrances.

J'étais assise, en attendant l'heure de la conférence. Une petite fille, assise à côté de moi, me demande si je suis bien Maguy. Elle me dit s'appeler Marie, que c'est son anniversaire et que son plus beau cadeau a été la permission de venir m'écouter. J'ai trouvé surprenants la joie de cette enfant et son sérieux. Mais voici plutôt son histoire.

« Marie, à l'âge de quatre ans, a souffert d'une tumeur maligne du rein. Après un mois de chimiothérapie, on a dû le lui retirer. La tumeur pesait 650 grammes. Il a fallu continuer rayons et chimio. Quatre mois après, les métastases envahissent les poumons, certaines de la grosseur d'une noix. On fait des chimio encore plus fortes. Depuis le début, la famille, bien que croyante mais pas pratiquante, a beaucoup prié et a toujours cru en la force de la prière. J'ai toujours eu foi en sa guérison, dit sa maman. J'ai eu le sentiment qu'elle s'en sortirait, quoi qu'il arrive. J'ai été forte, très positive, j'ai communiqué le plus possible avec Marie, je lui ai expliqué, en termes simples, qu'elle aurait beaucoup de piqûres, utiles pour tuer ces vilaines bêtes et qu'elles disparaîtraient toutes. Elle me disait, en rentrant de l'hôpital : " On en a tué plein aujourd'hui, après je serai tranquille. " Elle a bien compris, combattu, très courageuse, et ne s'est jamais plainte. »

Je voudrais conseiller à tous les parents victimes de tels drames : ne baissez jamais les bras ! Il faut croire, foncer, se battre... Notre attitude est en effet très importante, car les enfants sont confiants et très forts.

Marie a quatorze ans. Elle va bien. Elle n'a gardé qu'une légère scoliose. Très mûre pour son âge, elle est aussi très maternelle avec les plus petits. Sa famille est très unie. Marie a été très heureuse de me rencontrer le jour de son anniversaire et de la dédicace que j'ai inscrite sur un exemplaire de mon premier ouvrage.

En remerciement de sa guérison, cette famille a adopté trois petits enfants. Marie est pour eux une vraie petite maman, et même si la couleur de peau de ses frères adoptés est différente, Marie et Emmanuelle adorent Julien et Pierre. Ils sont tous venus, à Grenoble, participer à la journée de l'Amitié de cette année 1990. La lumière de leurs yeux révélait la joie qui les habitait, et Marie nous a raconté, brièvement, son histoire.

Par ailleurs, les témoignages n'émanent pas que des malades. Ils proviennent parfois de personnes appartenant à d'autres religions, vivant très loin de nous. Tous, à leur manière, nous disent leurs souffrances, leurs espoirs... et la route qu'ils ont empruntée.

Comme Mohamed, des musulmans m'ont écrit et j'ai de nombreux amis parmi eux. Mais aussi des israélites, des bouddhistes — ce qui est curieux — m'ont avoué avoir mieux compris leur propre religion, comme beaucoup de chrétiens d'ailleurs. Ce qui prouve bien que l'amour est universel.

En voici quelques preuves. Quelle que soit leur religion ou leur nationalité, ceux qui m'écrivent expriment les mêmes convictions :

« J'ai trouvé dans ton livre ce que m'enseigne le Coran. Tu as compris qu'on est tous pareils. Mahomet disait comme toi : il faut prier, il faut s'aider. Si tous les autres comprenaient, il n'y aurait plus de racisme. Nous sommes tous pareils, il faut se respecter. Je t'aime bien, Maguy, continue. Mohamed. »

... Oui, Mohamed, nous sommes tous enfants d'un seul Dieu unique. Nous devons conserver notre religion si possible et dans le respect des autres mais le bon Dieu doit m'aider ! Si je continue, tu sais, ça n'est pas toujours facile, et tout le monde ne s'appelle pas Mohamed...

Voici un autre témoignage qui vient, cette fois, du Brésil. « J'habite le Brésil, je vous ai téléphoné mais n'ai pu vous rencontrer. Catholique de formation, j'ai une foi très vive en Jésus-Christ, mais après vingt ans passés à Maccios, je me suis sentie seule ; mon mari est un homme formidable mais pas du tout croyant, et il n'y a personne pour me guider. J'ai compris tout de même ce que Dieu voulait de moi et je me suis élancée vers le grand large. Le grand choc de ma vie a été la misère de ce pays. Nous habitons au bord de la mer et de nombreux employés travaillent avec nous ; ils sont extrêmement pauvres, on ne peut s'en faire une idée, en France. La situation des enfants est terrible. Beaucoup, mineurs, sont en prison pour vol, drogue, assassinats, etc.

« Vous ne pouvez imaginer ce que représente un pénitencier. Les enfants sont torturés par leurs compagnons plus forts, parfois par la police. Plusieurs sont morts à cause de la Macumba, et par la marijuana. En contactant les juges et commissaires des mineurs, j'essaie de les aider, mais surtout d'éviter que les frères et sœurs tombent dans le même abîme. Souvent, rien n'y fait ; il faut dire que les enfants pauvres n'ont pas de père et, s'ils en ont un, c'est pour les battre et les obliger, souvent, à voler. Quand ils sont tués, je suis terriblement secouée dans ma foi. Et la justice de Dieu, mais où est-elle ? Quelles chances donne-t-il à ces gosses qui n'ont jamais eu d'amour mais n'ont connu que la faim et la cruauté ? Pourquoi n'ont-ils jamais rien reçu ? Leurs pauvres mères sont des bêtes de somme, d'ignorance, analphabètes. Mon père, que j'adorais, croyait à la loi des causes et des effets. Je me suis rendu compte, après sa mort, que je suis passée à côté de bien des choses pour suivre une voie automatique plus que limitée.

« J'ai étudié Krishnamurti et j'ai un grand désir d'aller vers le " vrai ". Il est difficile de faire comprendre ma démarche. Souvent, nous croyons au Dieu décrit et enseigné, mais pas à celui qui est en nous et qu'il faut découvrir. Ainsi des enfants souffrent, meurent, voire sont élevés pour la prostitution. Je viens d'apprendre que l'adoption des petits Brésiliens est devenue très difficile, les frontières se ferment. Pourquoi ? Des centaines de mamans en France attendent des enfants, leurs bras sont vides, les dossiers sont très difficiles à remplir. Je comprends que l'adoption doit avoir ses lois, ses règles, mais devant cette horreur, pourquoi ne pas donner une chance, une petite chance, à un enfant, pour que, au moins une fois dans sa vie, des bras le bercent ? »

Quels que soient notre enseignement, notre religion,

chère amie brésilienne, je crois qu'ils ne changeront pas grand-chose à ce terrible problème dont on devrait parler davantage. C'est là qu'il faut montrer une foi agissante. Je connais bien ce problème, à travers tous les enfants perdus dont nous nous sommes occupés, que nous avons recueillis. L'amour que nous avons donné, mon mari et moi, a été plus important, sans doute, que le pain. Des enfants, des milliers d'enfants mourront encore et meurent chaque jour. Une prise de conscience au niveau des gouvernements s'impose, nous le savons tous...

Le témoignage suivant, vient, lui, de beaucoup plus près. C'est une Poitevine, que nous avons reçue quelque temps et qui a tenu à vous parler de son expérience, à vous faire partager un peu ce que nous vivons à l'intérieur du groupe.

« Quinze jours chez les Lebrun, et votre vie peut changer du jour au lendemain ! Tout d'abord, j'ai rencontré, tous les matins, leur fille Françoise, pour des soins de magnétisme spirituel. Les séances, assez courtes, sont très puissantes et agissent incontestablement sur l'organisme. C'est un complément indispensable de la médecine traditionnelle. Seule pour deux semaines, Maguy et Daniel m'ont accueillie, un matin, pour organiser un " petit comité d'accueil ". En effet, des gens du groupe de Grenoble vous reçoivent pour que votre séjour soit plus agréable et non voué à l'isolement dans une ville inconnue. Maguy a passé au moins une heure à téléphoner à de nombreuses personnes. Je me sens gênée car elle est très occupée, mais elle aime tellement donner que finalement je me laisse tenter de recevoir tout ce dévouement et toute cette bonté. Dieu que c'est bon, la sincérité et la simplicité !

« J'ai bon souvenir également des moments passés

avec Daniel. Son humour fait feu de tout bois ; c'est gai, c'est généreux. Cette première semaine s'achève donc par une pluie de coups de fil du Comité d'accueil. Je commence les rencontres, un samedi après-midi, en compagnie d'une dame exquise, ancienne du groupe ; elle me fait un historique passionnant de cette merveilleuse aventure spirituelle. Il y a à peine quelques heures, nous étions des inconnues l'une pour l'autre, et voici que tout naturellement elle me donne sa confiance et son amitié. N'est-ce pas extraordinaire ? Le lendemain, guidée par une autre jeune femme, très dynamique, j'ai arpenté les collines de Venon sous un magnifique soleil printanier. Grenoble, entourée d'un cirque de montagnes, offre des vues exceptionnelles sur le pays dauphinois. Au bord, ce sont les falaises abruptes de la Chartreuse s'avançant telles des sentinelles aux abois, à l'ouest les escarpements du Vercors, cependant que vers l'est se dessine la silhouette enneigée de la chaîne de Belledonne. Le soir, accompagnée de son mari, nous avons assisté à un spectacle humoristique. Agréable soirée pleine de joie et de rires ! Pour les malades, le rire constitue un excellent remède. Nous nous sommes donné rendez-vous le vendredi pour un dîner d'adieux. Tout le monde, ce soir-là, se mettra " au vert ". Pour peu, le dîner aurait " fané " !

« On s'adapte même à vos problèmes. Puis une autre personne, malgré un emploi très chargé, m'accorda trois précieuses heures. Elles furent bien remplies et m'ont éclairée sur de nombreuses questions en parapsychologie et sur les phénomènes surnaturels.

« Je suis repartie toute légère et l'esprit serein. Voyez la diversité des propos !... Je n'oublierai pas non plus ce jeune homme, arrivé récemment au groupe, qui m'a donné une autre vision de cette chaîne d'amitié. Malgré mon grand retard au rendez-vous (le quart d'heure poitevin est bien connu!), il m'accueillit avec tout autant de chaleur et de sympathie.

« Quant à la participation à la grande réunion du groupe, le mardi soir, ce fut une expérience inoubliable. Quatre cents personnes se réunissent fidèlement tous les mois et se recueillent dans le silence absolu pour donner aux autres, aux malades, toutes leurs pensées d'amour. Que de beaux égrégores se dégagent de cette grande salle et une énergie si puissante qu'elle pourrait soulever les montagnes! C'est très impressionnant et les mots ne sont pas assez forts pour décrire justement l'ambiance qui y règne. J'y ai rencontré la communion d'esprit entre la médecine classique et les médecines dites parallèles, le magnétisme, etc. C'est exceptionnel dans un monde médical où l'on s'arrache le pouvoir, alors que toutes les médecines détiennent une part de vérité. Elles sont complémentaires. Il existe enfin sur cette terre un endroit où l'on a compris que la fusion entre le rationnel et l'irrationnel ne peut aboutir qu'à l'amitié entre hommes. Cette réunion est synonyme d'amour, de solidarité et d'humilité.

« J'étais fort triste à l'idée du départ, mais en même temps mon cœur était rempli d'amour! Tout prenait vie dans mon esprit, et tout en moi se mettait à vivre au rythme de l'univers. Merci mille fois à tous pour ce merveilleux séjour. J'y ai trouvé l'amitié sincère, le don de soi et une grande spiritualité. Vous êtes des petites fées, marraines de Cendrillon, transformant si bien la citrouille en carrosse et changeant la plus rigide réalité quotidienne en un désir de vie intense et pleine de couleurs. Telles de scintillantes étoiles ensemencées par des races galactiques fécondes, vous répandez la joie et la paix à travers l'univers. »

Hélas, il reste beaucoup à faire, et du côté de la joie et du côté de la paix ! Mais comme le disait Paul Fort : « Si tous les gars du monde voulaient s'donner la main... »

Parmi ceux que nous avons tenté d'aider, dans notre vie déjà longue, il y a eu beaucoup d'adolescents. Jane a voulu porter témoignage à son tour. C'est un peu ma « fille », elle aussi, elle fait partie de ceux que nous avons épaulés dans des moments difficiles.

« J'avais quinze ans, élève studieuse, soucieuse de bons résultats scolaires, sauf en math, ma bête noire. Issue de parents très aisés qui ne vivaient que pour leur travail, l'argent et leur situation. Bien que très unis, ils se disputaient souvent. Nous étions deux enfants, qu'ils aiment certes beaucoup, mais dont ils n'avaient pas trop le temps de s'occuper. L'argent, la vie aisée, pour eux, compensaient amplement !

« Nous avions fait notre communion solennelle et ne retournions plus à l'église. J'étais souvent seule, souvent triste, et je me demandais pourquoi je vivais. A quoi sert la vie ? Petit à petit je n'avais plus envie de rien, manger me dégoûtait. Je perdais l'appétit, je maigrissais de jour en jour. Tout en continuant mes cours, je pleurais souvent. Un jour, mes parents s'aperçurent de mon état et, soucieux, me conduisirent chez le médecin. Je ne pouvais presque plus marcher, la maladie me terrassait ; je ne pouvais plus, en plus de l'eau, avaler qu'un yaourt par jour. J'avais perdu seize kilos.

« La ronde des médecins commença ; puis je fus hospitalisée, d'abord dans un service de pédiatrie puis de neurologie. L'horreur ! Isolement, perfusions. Je n'avais plus le droit de voir mes parents que j'aimais, alors... je voulais mourir... à tout prix ! Enfin, voyant que je n'allais pas mieux, mes parents me sortent de là, traumatisée, désespérée. Ils avaient entendu parler d'une certaine Maguy Lebrun par d'autres personnes dont les enfants, atteints d'anorexie mentale, avaient été guéris. Ils m'ont conduite chez elle ; je ne savais pas où l'on m'amenait. J'y suis allée pour une visite ; elle soignait, paraît-il, de jeunes malades. J'y suis restée deux ans...

« J'ai appris la solidarité : je voyais de bien plus malheureux que moi. J'ai appris l'amour ; j'ai appris, surtout, la prière, la vraie prière en famille, en commun, tous les jours. Petit à petit je me joignais à eux sans qu'on me l'ait jamais demandé. La prière des mains unies, des cœurs qui battent à l'unisson pour ceux qui souffrent, l'élévation de la pensée ; j'ai appris à être aidée et à aider les autres. J'ai vu des actes d'une générosité inouïe et gratuits. J'ai retrouvé la foi de mon enfance ; et parce qu'on ne me demandait rien, j'ai retrouvé mon appétit, et surtout l'envie de vivre.

« Guérie à tout jamais, j'ai fait mes études d'infirmière pour rendre, à ma façon, ce que j'ai reçu. Je travaille dans un centre de réanimation. Je me suis mariée et j'ai deux beaux enfants, j'essaie de les élever le mieux possible, dans la foi, le respect des autres et la générosité. Jane. »

Le jour de son mariage, où nous avons été conviés Daniel et moi, Jane, resplendissante dans sa robe blanche, m'a prise par la main, après le départ de tous les invités ; nous sommes retournées à l'église, elle s'est agenouillée devant le Christ et n'a dit qu'un seul mot : Merci !

DE TÉMOIGNAGES EN TÉMOIGNAGES

Parfois, Etty elle-même, ou les médecins du ciel viennent en aide aux malades. Ainsi témoigne Sylviane :

« La visite de contrôle que j'effectuais ce jour-là chez mon ophtalmologue était tout à fait due au hasard.

« Je la faisais régulièrement, puisque je porte des lunettes depuis ma prime enfance. Rien ne pouvait donc me laisser présager que cette visite serait différente des autres.

« Mon médecin insiste, car j'étais " pressée " de partir, pour me faire un fond d'œil. Pour la première fois, j'entends parler longuement de décollement de rétine et des risques encourus lorsque cela se produit. Il me donne des exemples de patients venus le consulter à la suite de symptômes. Mais à ce moment-là — l'un de ces patients venait d'en être victime —, la vision peut être atteinte. Dans ce cas précis, le décollement de rétine avait provoqué la perte de la vue d'un œil. « Je ne pouvais faire autrement — il insistait tellement — que lui " faire plaisir ". On a l'impression quelquefois que tout s'écroule subitement autour de soi, que l'on n'est plus qu'un objet du destin, impuissant devant une réalité que l'on ne peut concevoir.

« Sur la demande de mon médecin, il a fallu que je parte immédiatement à l'hôpital, car ce qu'il venait de m'expliquer quelques instants auparavant devenait mon propre cas. J'avais un décollement de rétine à l'œil droit. Il fallait donc que je m'allonge immédiatement car le moindre geste brusque pouvait accentuer ce décollement.

« C'est en pleurs que je suis partie pour l'hôpital. Tout ce que j'avais prévu de faire, durant cette journée, devenait dérisoire. Après quinze jours d'hospitalisation et une opération bien réussie, je devais cependant

81

rester encore un mois allongée. C'était nécessaire après une telle intervention.

« Et c'est tout naturellement que je me suis retrouvée chez Maguy et Daniel. J'avais besoin d'eux, ils étaient là. Il me fallait subir des contrôles plusieurs fois par semaine chez mon médecin traitant. Maguy prenait la relève pour les soins dont j'avais besoin et, tous les soirs, me faisait mes pansements.

« Une nuit, je me réveillai en sursaut. La première vision qui m'est apparue, ce sont des pansements, et le sentiment de présences autour de moi, que je ne pouvais identifier. Je me souviens d'avoir appelé Maguy. On était en train de me soigner, ce ne pouvait être qu'elle. Je la cherche dans la chambre. Ce n'est pas elle que je vois, mais une ombre près de moi, et plus précisément, entre le radiateur et moi. C'est à ce moment que je réalise, alors qu'il fait nuit, malgré ma myopie, et de plus avec un pansement sur un œil, que je vois. Cette pièce est éclairée... Je pousse un cri... Quelque chose d'extraordinaire se produisait que je ne comprenais pas. Au moment où j'ai crié, tout est redevenu noir, je ne voyais plus rien, c'était la nuit complète. Le store de la fenêtre était toujours baissé, et même la faible clarté de la nuit ne pouvait filtrer.

« J'eus beaucoup de mal à m'endormir après ce qui s'était produit. Les premières paroles que je prononçai, le lendemain matin, lorsque Maguy m'apporta le petit déjeuner, étaient encore tout imprégnées de l'émotion que je ressentais : " Maguy, si tu savais ce qui s'est passé... "

« Deux jours après cette " visite nocturne ", j'appris par mon médecin traitant que je devais subir une nouvelle intervention car j'avais du liquide sous la rétine. Son diagnostic fut conforté par le médecin que je consultai ce samedi-là à l'hôpital. Il fallait que j'attende lundi matin pour voir le professeur qui m'avait opérée. Je restai donc, tout le week-end, dans une attente angoissante. La première fois, j'étais partie confiante me faire soigner. Cette fois-ci, je savais ce qui m'attendait, et s'il y avait un problème maintenant, que serait la suite ?

« Le lundi matin, je me retrouvai à l'hôpital devant toute l'équipe qui m'avait suivie lors de la première intervention. Je tremblais sur mon fauteuil en attendant " le verdict ". Le professeur m'examina en premier, ne dit pas un mot, et demanda à son assistant de m'examiner à son tour. " Je ne vois rien. " Cette phrase restera gravée dans ma mémoire. Moi qui étais pétrifiée sur mon siège, j'osai enfin espérer. Toute l'équipe m'a examinée à son tour. Je n'avais plus de liquide, tout était rentré dans l'ordre, la convalescence se poursuivait normalement.

« Cette nuit hors du commun que j'ai vécue, ces soins qui m'ont été prodigués par des personnes que j'ai devinées, sans les voir, je ne pouvais bien sûr en parler à ces médecins. Pour eux, c'était une simple erreur de diagnostic. Quant à moi, je ne doute pas un seul instant de la raison pour laquelle j'ai échappé à une deuxième opération. »

Mais il y a aussi la fraternité, qui, en elle-même, constitue un merveilleux médicament. Si j'en parle aujourd'hui, si je donne tous ces témoignages, ça n'est pas, encore une fois, pour qu'on me remercie — je ne suis qu'un instrument — ni pour qu'on chante mes louanges. Mais pour qu'on comprenne bien ce que notre action, guidée par nos « anges » et que chacun peut imiter, peut produire comme effets.

En voici un exemple.

Il a suffi d'en parler pour qu'une idée lumineuse jaillisse, pour que trois bonnes volontés se mettent en route et que la vie d'une maman désespérée et esseulée soit transformée.

Ne plus se sentir seule quand on porte le poids d'un fils malade et hospitalisé depuis deux ans et que la médecine l'a condamné. Ce malade, ce fils, n'a qu'un désir : partir. Mais l'amour de sa mère le retient encore. Parler, partager ses souffrances, c'est voir une porte s'ouvrir. C'est trouver à son retour de l'hôpital un appartement baigné de soleil alors qu'il était resté des années dans l'ombre, fermé sur un désespoir, celui de voir une mère, un mari partir, un fils malade, se retrouver un jour seule et désemparée avec pourtant un grand courage pour vivre le quotidien et toutes ces visites dans les différents hôpitaux anonymes où l'on ne représente qu'un lit, un malade de plus.

Oui, il aura suffi que des mains s'unissent pour nettoyer, purifier un appartement où la lumière n'entrait plus depuis si longtemps. Pour qu'un peu de bonheur donne de nouveau à cette maman la force de sourire un peu plus à son fils.

Le seul fait de transmettre nos certitudes peut aussi avoir un effet thérapeutique positif, inciter les uns et les autres à se dévouer davantage à leurs proches, à ceux qu'ils voient souffrir...

« Une amie, une connaissance de Nelly, m'a donné l'occasion de lire votre livre et d'écouter une cassette enregistrée à Bienne. Quelle joie de vous entendre parler de votre expérience et d'avoir enfin la certitude que la vie ne s'arrête pas avec la mort. Nous avons perdu notre seul fils dans un accident de moto, il y a huit ans. Le vide que Patrick a laissé dans notre maison était, au début, très difficile à supporter. Sa joie de vivre et sa chaleur humaine nous manquaient terriblement. Croyant que nous avons tous notre destinée, bien tracée à l'avance, je ne me suis jamais révoltée. Votre livre m'a totalement apaisée. Merci de tout cœur, chère Maguy, de nous avoir écrit.

« Si je m'adresse à vous aujourd'hui, c'est pour vous demander si je peux faire partie d'un groupe de prière en Suisse. J'aimerais aussi aider à soulager la souffrance par la prière en commun. Ma mère, âgée de quatre-vingt-quatre ans, souffre beaucoup depuis sa fracture du col du fémur, il y a deux ans. Je l'ai prise chez moi pour m'en occuper. Mon vœu le plus cher, c'est que vous acceptiez de l'inclure dans vos prières pour la soulager et lui permettre de s'en aller doucement vers Dieu.

« Est-il possible de vous rencontrer ? D'autres soucis m'accablent, le mal de vivre de ma fille qui a tenté de se suicider l'année dernière et trois séjours en Inde pour trouver la paix n'ont fait qu'aggraver son instabilité. Elle rejette la société en bloc tout en profitant d'elle. Elle me donne parfois l'impression d'être habitée par deux âmes. Tantôt douce et gentille, pleine de compassion pour l'humanité tout entière, tantôt d'une agressivité difficile à supporter. Nous ne savons plus, mon mari et moi, comment agir... »

Bien des jeunes vont aux Indes pour y trouver Dieu... ils reviennent souvent après avoir trouvé la drogue.

Dieu est partout, et il est bien inutile de faire des milliers de kilomètres pour le trouver. Il est aux Indes comme ailleurs de véritables hommes de Dieu, mais aussi beaucoup de charlatans vers lesquels sont « rabattus » les étrangers qui arrivent là sans connaissances particulières.

J'ai rencontré des malades qui sont partis chercher la sagesse et la guérison aux Indes et qui sont revenus ruinés et épuisés, leur état s'étant aggravé avec la fatigue et le manque d'hygiène.

Si nous avions dû être hindous, nous serions nés en Inde. Les raisons culturelles ou spirituelles d'un tel voyage se préparent. Il ne faut jamais y partir sans avoir bien analysé ses motivations profondes... et sans itinéraire défini.

Des malaises, il y en a partout, dans nos sociétés et ailleurs. Voici un témoignage émanant, celui-ci, d'un « flic ». Les « flics » ont aussi un cœur qui bat, un cerveau qui pense. Ils ne peuvent pas toujours agir comme ils le souhaiteraient. Écoutons celui-ci :

« Cette lettre est pour moi une confession libertaire. Je suis " flic " comme on dit et je suis plongé dans la corruption des hommes et des âmes. Après une enfance dans une pension religieuse, avec des Pères autoritaires et sévères nous enseignant la terreur face à un Dieu vengeur et puissant, sans pitié. J'ai perdu la foi, mais j'ai gardé un idéal de vie. La vie dans la police, pour moi, était un idéal. Je croyais pouvoir y aider. Quelle déception ! J'ai tant rencontré dans ma vie d'êtres bornés, limités, sataniques parfois, que je ne sais même plus, à mon âge, discerner le bien du mal. Votre livre a été un choc pour moi. On ne peut mettre en doute ses certitudes et je suis bien placé pour m'être renseigné. A mon avis, c'est un avertissement à l'Église, plus dogmatique que généreuse. Il a réveillé un peu de la foi de mon enfance. Continuez votre œuvre humaine, vous et ceux qui vous entourent. Elle est utile pour les vivants, les malades, contre la bêtise et la méchanceté, elle représente peut-être aussi une étincelle d'espérance pour ceux qui n'ont plus d'espoir. L'Église et la politique, qui s'entendent si bien, peuvent devenir le cancer de notre société. Je préfère de beaucoup l'indépendance du service.

« Mes plus grandes questions ont été : pourquoi ne parle-t-on pas de la mort ? Ce qui nous attend tous... Pourquoi tant de religions qui pensent toutes détenir l'unique vérité et font se battre les hommes ? Comment peut-on croire, aider, avoir la foi, quand on vit " dans la merde "... excusez-moi ? Je vous ai écrit tout cela parce que je sais que vous n'êtes pas " anti-flic ". »

Il existe certainement un grave malaise dans la police et la gendarmerie. Cette lettre est le reflet de beaucoup d'autres, mais si toute flamme était éteinte, je pense que cet ami ne m'aurait pas écrit.

Notre planète est inondée de souffrances, mais il faut tenter de rire, comme le fait le dalaï-lama, parce que la dérision, c'est aussi une façon de prendre de la distance avec le mal.

Je répète souvent que le rire est une thérapie libératrice. Je ne suis pas la seule à le penser... Beaumarchais, par exemple : « Je me presse de rire de tout, de peur d'être obligé d'en pleurer. » La mort serait certainement moins tragique si on en parlait davantage... mais on y arrive... et ces cinq dernières années, sur ce plan, ont été plus riches que depuis la nuit des temps !

Grâce aux voyages, les adolescents rencontrent d'autres religions, d'autres idéologies et découvrent que d'autres jeunes croient autrement, sont différents mais peuvent fraterniser. Notre rôle de rassembleurs dans nos groupes vise aussi un peu à cela : respecter chacun dans son intégralité, mais lui permettre de fraterniser.

J'aime bien « l'anti-flic »... plusieurs l'ont relevé dans *Médecins du ciel, Médecins de la terre*. Ça me rappelle avec bonheur ma jeunesse et mes « petits » un peu turbulents, mais que tous nous aimions bien... et que parfois les « flics » recherchaient !

LE SENS DE LA SOUFFRANCE

Souffrance qui es-tu ?
Pourquoi frappes-tu aux portes ?
Es-tu notre péché ?
Es-tu notre espérance ?

Souffrance des jours
Souffrance des nuits
Tu courbes l'homme pas à pas
Vers notre terre

Souffrance qui sera
Avec le temps, l'éloignement
L'oubli
Le grain de l'espérance
Pour notre vie éternelle.

Encore des retombées du livre... Ces retombées sont souvent l'histoire d'un chemin de vie, avec ses joies, ses peines, ses espoirs, ses chutes et ses remontées...

Parfois, une nouvelle lumière, une espérance qui brille dans la « nuit obscure », dans les yeux d'une mère qui a perdu son enfant, dans les yeux de ceux que la perte d'un être aimé avait désespérés, et un retour à Dieu, au bout de toutes ces épreuves.

Le plus possible, sans vouloir me répéter, je me suis efforcée de répondre à ces appels. Veuillez me pardonner si certaines lettres sont demeurées sans réponse ; il y en a sûrement qui ont été classées trop vite, d'autres se sont perdues. Nul ne peut imaginer le nombre de nos lecteurs qui ont écrit. Daniel et moi avons fait de notre mieux, avec nos modestes moyens et le peu de temps dont nous disposons. Mais je peux dire à tous qu'ils sont mes amis et qu'ils sont dans nos cœurs, tous les malades qu'on nous a confiés sont sur la liste de ceux pour qui nous prions à 20 h 30. Les lettres publiées ou utilisées respectent l'anonymat de leur auteur, cela va de soi, mais il me semble que leur témoignage peut servir à d'autres, montrer le chemin du courage et de l'amour, car c'est bien ce qui perce à travers ces lettres.

Et si mon mari et moi avons pleuré, souvent, comme des enfants — nous n'avons aucune honte à le dire —, nous nous sommes trouvés petits, misérables, démunis devant tant de détresses. Nous avons alors prié, main dans la main, car nous croyons si fort à l'impact de la prière, à sa force de cicatrisation, à sa puissance infinie ! Nous demandons à Dieu de permettre aux médecins du ciel, à ses anges de lumière, de les prendre en charge et de les aider.

Nous avons tous besoin de prendre nettement conscience de cette vérité : nos actes d'amour nous suivent et peuvent aider à vivre avec plus de sérénité.

Il est parfois si simple de trouver sa route, cette route que beaucoup d'humains cherchent très loin, et perdent de vue. Il suffit de regarder autour de soi : le soleil qui brille, la fleur qui embaume, la main qui se tend, le sourire de l'autre, ces petites choses de la vie de tous les jours qui nous la font aimer et qui peuvent prendre une autre couleur. Louise me dit : « J'avais perdu la foi, je courais après le vent, l'illusion, je cherchais un " médium " pour me guider ; la lecture de votre livre a été une étape importante et certaine ; j'ai trouvé toutes les réponses à mes innombrables questions. Ce récit a été un élément de réconciliation avec moi-même et ma religion perdue ; toutes les pièces du puzzle sont enfin à leur place. J'ai retrouvé le goût de la prière, et les jours qui passent m'apportent la joie. Je fais confiance à mon guide intérieur. Et voilà... »

Voilà ! C'est si simple, si simple... trop simple peut-être !

La souffrance a un sens, elle peut et doit nous faire évoluer, mais nous avons tous du mal à accepter celle des enfants, qui nous apparaît tellement injuste, tellement révoltante !

Christiane reconnaît que son évolution, elle la doit à de durs chagrins.

« Je n'aurais peut-être jamais lu votre livre si je n'avais été cruellement éprouvée par la mort de ma fille. Je suis passée par différentes phases, suite à ce deuil. J'ai connu la douleur, la déprime, la révolte, et maintenant je découvre une vérité qui me console, un besoin de religion. Je suis moins terre à terre. C'est comme si, tout doucement, on m'avait arraché le bandeau que j'avais sur les yeux. Il y a tant d'événements douloureux autour de moi ! Voici les causes de ma transformation :

« Ma fille est morte pour avoir, au cours d'une " boum " avec des jeunes " cons " inhalé du trichlo et bu de l'alcool. J'ai bien du mal à pardonner. Ensuite, ma sœur est morte laissant ses enfants. Deux de mes meilleures amies se meurent d'un cancer. Leurs vies exemplaires ne méritaient pas ça. Je suis révoltée de ne rien pouvoir faire pour elles, qui ont déjà eu beaucoup d'épreuves dans leurs vies. Je pourrais allonger la liste, il y a tant de souffrances autour de moi !

« Je m'aperçois que des croyants, des pratiquants sont terrorisés par la mort, parfois plus que ceux qui ne croient en rien. Naïvement, je les croyais mieux préparés et plus courageux. J'ai de la peine pour eux et me demande ce qui les fait venir à la messe du dimanche. Je contrôle mal mes réactions à l'égard de gens bêtes et méchants. Je hais l'injustice sous toutes ses formes, j'en ai été souvent victime. Il faut apprendre à dominer ses sentiments, paraît-il. Je ne peux pas. Maguy, répondez-moi. »

Que répondre à la détresse ? En terre de souffrance, terre d'épreuves où nous sommes tous, un jour ou l'autre, confrontés à ces réalités, qu'il est difficile de vivre parfois comme si une loi des « séries » jouait contre nous. Il est utile, dans ces moments-là, de pouvoir partager.

La souffrance partagée est moins lourde à porter. La prière est un baume cicatrisant, l'amitié une lueur d'espérance. Toute personne qui viendra dans l'un de nos groupes avec cet objectif-là trouvera sa place et sera moins seule.

Le sentiment de culpabilité peut tourmenter longtemps, voire même gâcher une vie. Il est important de s'en libérer, même si l'on doit subir une psychothérapie, tout de même moins dangereuse qu'un traitement psychiatrique.

Élise m'explique :

« J'ai pratiqué, il y a quelques années, une IVG que j'ai vécue de manière assez traumatisante et culpabilisante. Je fais partie d'un groupe de femmes qui pensent qu'IVG veut dire " liberté du corps ". Je me suis rendu compte depuis qu'il y a une très grande divergence entre mes idées et les actes. Il m'arrive encore, souvent, de me réveiller la nuit avec la sensation d'une grande douleur au ventre, et il me semble encore parfois qu'il me reste des morceaux de mon bébé qui ne veut pas me quitter.

« Lorsque mon premier enfant est né, longtemps après, il a dû souffrir de cet événement, car je piquais encore de grandes colères contre moi, contre lui, jusqu'au jour où j'ai pu faire le lien avec l'enfant mort. Je pense souvent à lui. Qu'est devenue cette petite âme que j'ai rejetée ? Puis-je maintenant racheter cet acte ? Je crois en plusieurs vies et cela m'aide. Enfant, j'avais le sentiment, très fort, d'avoir déjà vécu. Un jour, j'écrirai peut-être un livre pour me libérer, me réconcilier et pour aider d'autres jeunes femmes à éviter un tel acte. »

... Il est certain, qu'on le veuille ou non, qu'une IVG est un acte contre nature qui peut laisser de douloureuses cicatrices, surtout pour ceux qui croient en la possibilité de plusieurs vies sur terre, car le problème de l'esprit refusé se pose, mais Dieu est infiniment bon, et il faut croire en son pardon. Là encore, on ne peut jamais juger. Lorsqu'une maman, très fatiguée par des grossesses rapprochées, ne peut en accepter une de plus, ne serait-ce que pour raison de santé... Les moyens de contraception sont bien au point maintenant, encore faut-il pouvoir acheter la pilule...

J'ai connu un couple qui mettait chaque année un enfant au monde. Entre chaque naissance, l'un ou l'autre faisait un séjour à l'hôpital psychiatrique. Ils ont eu sept enfants, tous perturbés fortement. Dans ce cas, que faire ? Je pense qu'il n'y a pas de loi, ni de conseil à suivre, les médecins sont déconcertés. Mettre un enfant au monde est l'acte le plus merveilleux qu'il nous est donné de vivre. A chaque arrivée, j'en ai vu beaucoup, la même émotion est là, présente avec la VIE, cette vie pleine d'espérance et de promesse. La VIE, la MORT, les deux moments forts, inéluctables de l'existence d'un homme, si importants pour nous qu'un jour, il faut le souhaiter, nous les vivrons tous avec la même sérénité.

Chaque être humain, face à la situation finale qui peut se présenter pour un être cher, réagit différemment.

Madeleine vient de perdre son mari. Toute sa vie elle a été, ou pensé être, malade. Son mari, prévenant, l'a aidée, et c'est lui qui est parti le premier. Elle aurait alors donné sa vie pour lui. Mais on ne choisit pas... Pour que ses souffrances soient supportables, elle a fait appel à la prière, et lui, qui était athée, a accepté petit à petit cette prière. Grâce à son amour, elle a pu lui apporter un peu de paix, de foi lors du grand passage. Il allait, nous a-t-elle expliqué, retrouver ses parents, ses amis, partis avant lui. Et c'est dans son sommeil qu'il a été libéré.

Madeleine, de religion protestante, est très amère vis-à-vis de celle-ci.

« J'ai toujours cru que Dieu est Lumière, que la vie en l'au-delà existait après la mort. Je ne peux pas assister à une cérémonie sans verser de larmes, par émotivité, mais il m'est impossible de me confier à un religieux en qui je n'ai pas confiance. Autour de moi, trop d'exemples de leur peu de sérieux, leur manque de charité, et surtout leur grand intérêt pour l'argent, leur étroitesse d'esprit pour ceux qui ne pensent pas comme eux m'ont découragée. »

En revanche, il est des religieux qui sont merveilleux. Madeleine n'a pas eu de chance. Un prêtre, un pasteur, un rabbin est un homme. Un homme est parfois faillible, il lui arrive de traverser de dures crises qui le rendent moins disponible.

L'abbé Pierre, par exemple, et bien d'autres, sont animés par l'amour de leur prochain. Leur seul objectif est d'aider le pauvre, le malheureux, d'où qu'il vienne. Ceux-ci consolent de ceux-là.

Pierre est angoissé par sa maladie. Il est loin de nous et il écrit :

« Comment reprendre du courage quand on est seul dans une chambre que l'on n'arrive pas à quitter, malgré toute sa volonté ? Comment peut-on, malgré tout, être heureux devant cette sensation d'injustice face à la maladie ?

« Alors Maguy, moi, je crie " Au secours ". J'ai peur, très peur, je me sens seul, très seul, et j'ai l'impression que je vais mourir très vite malgré mon désir de vivre. Pourtant, vous sembliez dire que d'autres avant moi sont passés par là, et s'en sont sortis. Mais moi, je ne sais plus comment faire. Les voyages pour aller à Grenoble me fatiguent et je ne pourrai m'y rendre que pour les prières et pour voir le docteur. Comment ceux qui ont réussi à sortir de souffrances si terribles ont-ils fait dans leur quotidien pour y parvenir, ceux qui, comme moi, ne peuvent pratiquement pas manger et n'arrivent pas à retrouver leurs forces ?

« Dois-je donc attendre là, sur mon lit, quelques semaines supplémentaires, un geste de Dieu, alors que j'ai peur de la mort toute proche ? Dois-je aller à l'hôpital mourir proprement et sans douleur ? Ai-je le droit de me suicider ? Je veux pourtant vivre, découvrir le plaisir de faire un gâteau, de cuisiner une viande en sauce, de partager mon repas avec des amis et ma famille, les sentir heureux autour de moi. J'aimerais aussi vivre plein de Noëls, parce que j'aime Noël avec les rires des enfants, le Père Noël à fausse barbe, des parents qui racontent des histoires. Je ne veux pas mourir. Je refuse que l'on m'arrache cette vie qui serait désormais si belle pour moi, parce que j'en ai enfin compris le sens. Je ne veux pas de cette mort qui n'est pas la mienne, je veux vivre tout simplement, et j'ai pour cela grand besoin d'aide en ce moment. Cela demeure ma seule ambition du moment. Voilà, je ne sais plus quoi dire, et j'ai pourtant tant de choses sur le cœur, tant d'espoirs qui me paraissent fous, de plus en plus fous, qu'il fallait que je vous les confie. Je vous remercie encore pour votre gentillesse, pour tout ce que vous faites pour votre groupe, pour nous tous les malades. »

... Comme nous voudrions faire plus. Comme nous sentons nos limites, nos impuissances malgré toute notre bonne volonté. Si l'amour pouvait être un anesthésique dans ces moments de souffrance et si nous pouvions communiquer l'espérance dans une autre vie plus heureuse, l'angoisse serait moins forte.

Il aurait fallu que Pierre habite plus près de nous, que nous ayons pu parler avec lui. Il est venu à nous très, très malade, trop peu de temps. Et les circonstances n'ont pu malheureusement nous permettre une aide plus efficace.

Delphine ne comprend pas comment la maladie peut transformer un être humain. Et pourtant, le cas est fréquent. Elle se confie :

« Je traverse depuis trois ans une période extrêmement difficile, semée d'épreuves de toutes sortes, de morts successives. Le mari de ma mère, qui nous a élevées, ma sœur et moi, meurt dans des conditions atroces, un état cérébral délabré, ne pouvant plus communiquer avec nous. Lui qui était un esprit brillant, qui adorait plaisanter, était coupé du monde extérieur, de sa femme qu'il adorait.

« Cette maladie atroce a transformé cet être doux et bon en tyran, ne reconnaissant plus personne, méchant parfois avec sa femme pour qui il nourrissait un grand amour, comme j'ai rarement eu l'occasion d'en voir.

« Comment peut-on penser qu'elle réagisse ? Quel crime odieux a-t-il pu commettre pour mériter cette mort affreuse ? De plus, tous ceux qui l'aiment sont punis, vivant le calvaire en même temps que lui. Ma mère a vécu sans se plaindre des nuits sans sommeil, des journées d'attente, espoirs, rechutes, et si lui est à présent délivré de la misère humaine, elle est toujours là, s'interrogeant sur cet amour qui était toute sa vie, sur la possibilité de le retrouver un jour. Alors cette rencontre peut-elle découler d'une dette qu'ils auraient à payer tous les deux, d'une vie passée ? »

Mais non, Delphine ! Tout simplement, la maladie peut provoquer des lésions cérébrales, qui changent complètement la personnalité, le caractère d'un grand malade. C'est le lot de la vie, puis-je dire ! L'atteinte est physique.

Il ne faut pas tout mélanger, et malheureusement beaucoup d'entre nous peuvent connaître des fins difficiles. A la mort, la libération est totale, nous rentrons dans la lumière de Dieu. Imaginez la souffrance morale d'un être qui voit les siens grandement perturbés par sa fin douloureuse. Puisque cet homme était bon, généreux, pourquoi voulez-vous qu'il ait été puni ?

La souffrance et la maladie ne durent que quelques mois, voire des années. Qu'est-ce par rapport à l'éternité de notre vie, que nous vivions là ou ailleurs ? La vie est éternelle, et nous devons préparer notre départ en toute sérénité.

Il faut que votre maman comprenne bien que cet état de « tyran » n'était qu'un effet de la maladie, et qu'elle retrouvera, demain, son amour dans son intégrité.

Il est heureusement des épreuves de souffrance qui se terminent bien. Un jeune homme, Yves, témoigne :

« Je suis jeune. J'ai la vie devant moi. Je veux témoigner de mon martyre et de ma guérison.

« La maladie est un signal d'alarme. Si on refuse d'en tenir compte, c'est rapidement le plongeon. Mais je crois que je suis têtu.

« Ma rencontre avec le groupe d'accompagnement de Grenoble, d'abord, de Lyon, ensuite, a marqué le début de la sortie de l'enfer que je m'étais gentiment mijoté.

« Grâce aux membres des groupes, à leur comportement, j'ai compris qu'il y avait d'autres perspectives de vie que celles que j'avais si tristement imaginées.

« Si je n'avais qu'une seule chose à retenir de cette expérience vécue, ce serait très simple : l'amour existe.

« L'amour est le remède le plus puissant. En dehors de l'amour, un malade peut s'aventurer sur des chemins à risques. Et si vous n'êtes pas convaincus, essayez donc de vivre avec une épreuve physique, dans la haine de vous-même, de tout, et de tous ceux qui vous entourent.

« Après la rencontre des groupes, regardez bien autour de vous. Vous apercevez alors une certaine image du bonheur. Alors, allez-y ! Bonne chance à tous les amis malades.

« Merci à tous ces amis de sagesse. »

A la demande d'une maman, dans l'espoir d'aider d'autres parents en difficulté, voici quelques lignes qui montrent l'efficacité morale et spirituelle du travail accompli par les groupes.

« Je tiens à apporter mon témoignage au groupe de Nice, car les visites et les conversations téléphoniques avec nos amies du groupe nous ont énormément aidés, mon fils André et moi, dans les périodes difficiles.

« En octobre 1985, mon fils André a été grièvement blessé dans un accident de la circulation. Après vingt et un mois à l'hôpital Saint-Roch, à Nice, dont trois mois en réanimation, six mois en " soins intensifs " et six mois au centre René-Sabran de Giens, il est revenu à la maison. Paralysé, jambes allongées, avec un cysto-cat, il ne pouvait se servir, et encore avec difficulté, que de sa main gauche et parlait difficilement.

« Nous avons fait alors la connaissance du groupe par l'infirmière qui venait trois fois par jour. Les visites, le fait de participer par la pensée aux réunions et activités du groupe ont énormément aidé André à faire des progrès. Il commence à se servir de ses deux mains, son élocution s'est nettement améliorée. Il a repris du poids et une bonne mine. Les infections se font beaucoup plus rares, et l'évolution de son moral vers la sérénité étonne son médecin et son entourage.

« Personnellement, l'action de ce groupe m'a aidée énormément dans les périodes difficiles. Cette chaîne de prières et de pensées positives nous offre un véritable soutien, et je veux vous dire, en mon nom et en celui d'André, toute notre reconnaissance. »

L'amour, c'est contagieux, et ce que l'on sème dans une bonne terre porte toujours ses fruits...

« Pour moi, dans mon souvenir, Maguy c'est " le coton magique " qu'elle posait sur mon ventre quand j'avais très mal, dans une clinique. Mais je pense souvent à la première fois où je l'ai vue, avec Daniel, chez eux. " C'est la soupière magique qui nourrissait les enfants. "

« J'étais l'amie d'une de ses filles, la meilleure amie. Nous étions à l'école d'infirmières. Seule à Grenoble, je me sentais isolée. Éliane et moi sommes devenues inséparables très vite. Un jour, elle m'invite chez elle pour un week-end. Je n'avais pas, à l'époque, l'impres sion d'exister. Brusquement, je me suis retrouvée autour d'une joyeuse table, pleine de chaleur, d'enfants de tout âge. Maguy arrive avec une soupière fumante, Daniel présidant la table. J'étais en retard. Ils m'ont tous regardée, les yeux pleins d'intérêt. Éliane a dit : " C'est Élodie ", aussitôt, Élodie s'est sentie unique dans leurs cœurs. Pour une fois j'EXISTAIS.

« Après, ce fut pour moi, avec l'école d'infirmières, l'école de la vie. Côtoyer la souffrance, c'est difficile. Je me posais beaucoup de questions : Pourquoi tant de détresse ? Pourquoi les petits enfants meurent-ils, laissant des parents désespérés ? Questions jusqu'ici sans réponses. Seule une quête spirituelle peut répondre à votre angoisse, car on frise vite la déprime devant les non-réponses.

« Alors, à ce moment-là, j'ai connu une autre Maguy. Une Maguy — MÈRE. Maguy la spirituelle, avec son immense foi. Maguy avec son cœur.

« Avec ses mains, avec ses prières, elle devient Maguy qui guérit. Elle a pu, à sa façon, donner une réponse à mes questions. Aujourd'hui, je sais que notre âme est éternelle. Je sais que nous venons sur terre pour apprendre, pour aimer. Je sais que la mort n'existe pas.

LE SENS DE LA SOUFFRANCE

« Aujourd'hui, je remplis au mieux ma vie de femme, de maman, d'infirmière. Je suis heureuse de voir que mes enfants ont compris le message. Ils essaient de vivre le mieux possible leur foi en Dieu.

« Je crois en la Vie de Demain.

Élodie. »

LES GROUPES D'ACCOMPAGNEMENT

Qu'on me permette, avant de parler de la formation de ces groupes, de vous communiquer un message du ciel. Il vous dira bien mieux que je ne saurais le faire l'ambiance qui est celle dans laquelle nous baignons, depuis tant d'années :

La recherche de la vérité ne doit pas être une fin en soi car elle est vaine et annihilée par sa propre relativité. Ce n'est pas un moyen qui vous est donné pour " apprendre " à croire, apprendre à saisir l'aspect caché des choses qui vous entourent. Le vide est plein de richesses. Il est plus difficile à faire que le plein.

« Lorsqu'il vous est dit : " Élevez vos pensées vers Dieu ", c'est une métaphore. Dieu magnifie l'esprit accessible ou non à l'esprit terrestre. Élever sa pensée, c'est donc se mettre en état de disponibilité intérieure, c'est se dépouiller de son jugement pour devenir la vasque qui reçoit les rayons venus d'ailleurs, cet ailleurs que nous appelons l'Univers, ou nulle part.

« Les compagnons doivent puiser auprès de leurs chefs spirituels les forces nécessaires à ce vide enrichissant. Ils ne doivent pas penser mais se laisser envahir par la " pensée ". Les compagnons du Christ se rendaient

humblement disponibles et ne tiraient jamais orgueil de cette faculté, la plus grande, la plus belle, la plus difficile pour un humain.

« Il n'y avait pas et il n'y a toujours pas de secret. Ils savaient éviter les mots mêmes de pensée et de recherche, tous ces mots qui impliquent, en fin de compte, une division. C'est pour cela que furent créés les symboles, les signes, dont la signification avait un caractère sacré. Ils laissaient, mieux que les mots, la possibilité d'une interprétation personnelle, selon le degré d'évolution, de disponibilité dans son mystère, par les multiples façons de les lire. Ils rapprochaient ainsi davantage l'homme du concept divin dans la liberté de l'intelligence et de la compréhension. Ne disons jamais " nous cherchons la lumière " mais " ouvrons nos fenêtres et la lumière nous inondera ".

Comment se sont créés les groupes d'accompagnement ? C'est une question qui m'est souvent posée.

Lors de la parution de *Médecins du ciel, Médecins de la terre,* bien des médecins, infirmières, soignants divers et gens de bonne volonté m'ont écrit ou sont venus me voir ; ils ont assisté à une de nos réunions de travail afin de posséder, dès le départ, une base solide.

Beaucoup d'entre eux m'ont invitée à aller faire une causerie dans leur ville pour mobiliser ceux qui semblaient intéressés par l'accompagnement des malades. Les demandes ont été si nombreuses que nous n'avons pu, Daniel et moi, toujours accéder à leur exigence.

Mais je crois aussi qu'à mon âge, si j'ai accepté ces terribles épreuves que sont les tournées de conférences internationales, c'était surtout pour les malades, des centaines et des centaines de malades qui ont tout de suite rejoint les groupes. En parcourant les pages qui vont suivre, vous ne manquerez pas d'être frappés par leurs témoignages de reconnaissance adressés aux groupes. Pour eux, je suis heureuse d'avoir pu faire au moins dix conférences par mois...

Pour eux encore, je remercie Dieu d'avoir permis que passe le message car par moi-même, je ne suis rien, rien qu'un « canal ».

J'espère de tout cœur, après toutes ces tribulations, toutes ces obligations, pouvoir revenir à mon bienheureux silence, à cette période bénie où, même si la vie était un peu dure matériellement, j'étais si heureuse !

Le contact permanent avec mes anges de lumière m'a apporté, je me dois de le dire ici, des moments d'extase que rien sur terre ne pourra jamais égaler.

De nombreux guérisseurs ont demandé à rejoindre nos rangs. Certains n'ont pas compris pourquoi des responsables de groupe ont été réticents à leur égard. Il existe trois catégories de guérisseurs, à mon avis :

Les illuminés : parce qu'un voyant ou un « magnétiseur » leur a dit qu'ils « avaient le don », ils installent un cabinet de soins. Persuadés de leur pouvoir, certains n'hésitent pas à interrompre un traitement médical, et à interdire une intervention chirurgicale, voire même à donner des médicaments. Ce sont des criminels...

Ensuite, les escrocs qui apprennent leur métier à l'aide de livres spécialisés parlant de guérison, ou bien vont faire deux ou trois jours de stage, et croient posséder une « discipline » censée *tout* guérir. Ils se débrouillent toujours pour que leurs soins soient excessivement coûteux. Ce ne sont pas les moins célèbres, hélas !... Le tarif pratiqué doit constituer un signal d'alarme ! Attention, plus un pseudothérapeute spirituel est cher, moins il est valable !...

Enfin, les vrais, les authentiques guérisseurs qui ont

reçu leur don avec beaucoup d'humilité. Bien sûr, ils ont le droit de vivre comme tout le monde, il est normal de rémunérer leurs soins ; leurs tarifs sont d'ailleurs très raisonnables. Heureusement, ce sont les plus nombreux.

Comment les reconnaître ? A leur travail, à leur gentillesse, à leur disponibilité, à la modicité de leurs tarifs... et à leurs résultats. En général, ils ne pratiquent qu'une spécialité.

Il existe un syndicat des guérisseurs de France, le GNOMA. Pour en faire partie, il faut montrer patte blanche. En dehors des exigences dont j'ai parlé, il faut avoir un casier judiciaire vierge. Je pense que la reconnaissance de leur activité se fera avec leur aide, s'ils continuent à se montrer vigilants sur la qualité de leurs membres.

J'ai d'ailleurs fait, à Paris, une conférence à ce sujet, ce qui m'a permis de rencontrer des hommes, des femmes, tous doués et d'une grande générosité. Ils sont nombreux à réaliser qu'ils ne sont pas maîtres de leur don, qu'ils ne sont que des canaux, ce qui conduit à beaucoup d'humilité. Si nous ne sommes qu'un canal à travers lequel passe une onde d'énergie, exactement comme un fil électrique à travers lequel passe le courant, nous ne sommes pas la *source*. Mais il faut être un bon instrument, ce qui explique cette nécessaire période d'initiation au cours de laquelle mon guide de lumière me disait : « Tu as le don de guérison, tu guériras les corps pour amener les âmes à Dieu, mais tu dois recevoir un enseignement dans le silence. Pour grandir, il faut passer plusieurs portes. »

Ces dix ans de silence, suivis encore de quinze autres années, où nous avons travaillé dans le secret — vingt-cinq ans — avant d'avoir le droit d'ouvrir la bouche !

Vingt-cinq ans pour passer cette porte du dépouillement, donner sans regret. Vingt-cinq ans pour passer
cette porte de la tolérance, ne jamais juger les autres,
accepter toutes les différences. Vingt-cinq ans pour
comprendre que seul l'amour, sur la terre, rendra la vie
meilleure.

Alors, amis guérisseurs, magnétiseurs, comprenez
pourquoi, lorsque vous entrez dans un groupe d'accompagnement, on vous impose silence pendant quelques
années. Pourquoi, pour tous les membres et amis des
groupes, le silence est de rigueur !

Par respect pour votre voisin, pour la religion de
chacun, pour les malades dont en aucun cas le diagnostic ne doit être dévoilé, par respect de l'identité de
chacun. Des magistrats, des hommes politiques n'aime-
raient peut-être pas que l'on apprenne leur appartenance à tel groupe de travail ; eux aussi ont le droit
d'apporter leurs prières dans le silence.

Par ailleurs, il y a eu, au début des formations des
groupes, de bien regrettables « bavures », malheureusement faites par ceux qui auraient dû normalement
apporter le plus. Ils ne sont venus là que pour se
faire connaître, distribuer leurs cartes de visite, pour se
chercher des clients auprès des malades amenés par des
médecins !

L'un d'eux m'a raconté qu'un jour il a accompagné
une jeune femme cancéreuse au groupe ; un magnétiseur, à la sortie, lui a donné sa carte en disant : « Je sais
pourquoi vous êtes malade, vous êtes envoûtée, venez
me voir ! » Et la malade, terrorisée à l'idée d'être
envoûtée, a rechuté !

Un soir, une très belle jeune fille m'accoste et me
dit :

— Maguy, grâce au magnétiseur du groupe, je suis guérie !

— Qu'avais-tu ?

— J'étais séropositive, mais il m'a soignée et il m'a guérie, je n'ai plus besoin de me faire surveiller à l'hôpital. Je mène une vie normale, je suis guérie...

Dans une grande ville, un magnétiseur a dit aux médecins du groupe : « Votre diplôme n'est qu'un bout de papier, je vais vous apprendre à magnétiser pour que vous soyez capables de guérir vos malades ! »

Il y a eu aussi des voyants qui voient des oiseaux verts et des auras bleues, perturbant ainsi le travail de prière et de méditation.

Nous avons même surpris des médiums qui prenaient des messages pendant les réunions. De quel droit perturbent-ils des malades qui ont leurs croyances et qui ne savent même pas ce qu'est un « message » ?

Il faut comprendre, après de telles expériences malheureuses, la prudence des responsables de groupes, leur réserve devant ces gens pleins de suffisance et qui ne savent pas ce que veut dire le mot « humilité ».

Il existe aussi « ceux qui prennent le mal des malades », se tortillent sur leur chaise, se donnent en spectacle. Ceux qui « sentent » des ondes mauvaises, troublés par de « mauvaises vibrations ». Ce sont des gens fragiles, bien souvent tout à fait polarisés sur eux-mêmes, incapables de donner et de capter l'amour. Il faut bien leur recommander de rester chez eux car ils sont incapables d'apporter quoi que ce soit aux autres et surtout de faire partie d'un groupe de travail.

Et puis, il y a ceux qui constituent notre trésor, fidèles et fervents, silencieux, toujours présents, toujours disponibles, qui savent apporter, avec leur richesse intérieure, leur sourire, leur gentillesse.

107

Dieu merci! Ils sont les plus nombreux! Ils sont aujourd'hui des milliers.

On me demande aussi, souvent, comment reconnaître un bon guérisseur d'un charlatan? Ce n'est pas si facile, tant qu'une loi ne sera pas votée, posant des garde-fous pour protéger les malades.

En France comme ailleurs, des milliers de gens consultent des guérisseurs, c'est un énorme budget. Le ministère des Finances reconnaît bien la profession, mais le ministère de la Santé continue à l'ignorer, c'est insensé! Il vaut mieux regarder en face ce qui existe afin de mieux le contrôler. Lorsque nous sommes en montagne, si nous nous mettons un bandeau sur les yeux pour ne pas voir l'abîme, ça ne l'empêche pas d'exister et nous risquons d'y tomber.

Les guérisseurs-magnétiseurs honnêtes, déclarés, patentés, sont pénalisés ; non seulement ils paient des impôts, comme un médecin, mais sont, de plus, taxés de TVA sur chaque séance de soins. Résultat : les trois quarts travaillent « au noir »... Certains se font même remettre, en argent liquide, des sommes énormes.

Une jeune Portugaise m'a avoué en pleurant que son mari l'avait battue parce qu'elle lui avait dit avoir perdu son alliance. En réalité, un guérisseur la lui avait demandée parce qu'elle n'avait pas d'argent... C'est un problème épineux. Les patients qui sont dans l'impossibilité de fournir des preuves ne peuvent déposer plainte lorsqu'ils s'aperçoivent de l'escroquerie. Par ailleurs, toutes ces manigances portent un tort immense à la profession et à tous ceux qui se dévouent sans compter — c'est le cas de le dire —, travaillant énormément et vivant parfois très modestement, frappés de lourdes impositions.

Actuellement, le don de guérison ne peut être prouvé

scientifiquement. Un médecin de notre groupe et un chercheur m'ont conduite au CENG pour me tester officiellement ; aucun magnétisme n'a pu être prouvé, rien de « palpable » ne sortait ni de mes mains, ni de mes pieds, ni de mon plexus ! Et pourtant ils savaient l'un et l'autre, depuis des années près de moi, que mes mains pouvaient guérir, et en avaient eu maintes preuves. Alors, depuis ce jour, je ne crois plus au magnétisme « humain ». Je pense qu'il s'agit d'une onde de guérison que l'on appelle magnétisme, puisqu'il faut bien donner un nom aux choses.

Cette onde serait un ensemble d'éléments incontrôlables pour l'instant, plus ou moins forts selon les vibrations émises. Ondes d'amour, de prière, de force de la pensée, de visualisations d'autant plus puissantes que les « médecins du ciel » apportent à celui qui le mérite leurs puissances divines, énergétiques, peu importe leur nom... Dans les siècles passés, dans la nuit des temps, partout et toujours, la guérison spirituelle a été pratiquée, a existé et existera toujours. Les procès, les condamnations infligées par les tribunaux (sauf, bien sûr, en cas d'escroquerie) ne constituent pas une solution. De toute façon, celui qui est attaqué se voit l'objet d'une médiatisation, voire d'une énorme publicité puisque les malades en arrivent à témoigner pour lui. Cette situation tourne alors à l'énorme farce !

Pourquoi l'État reconnaît-il la profession au niveau financier et la condamne-t-il au niveau humain et thérapeutique ? Il existe pourtant des critères de reconnaissance bien simples, et on pourrait par exemple délivrer un certificat d'auxiliaire médical à un soignant qui accepte de se plier aux règles suivantes :

— S'engager à travailler sous contrôle médical (c'est-à-dire qu'un malade qui vienne voir le guérisseur lui présente une ordonnance de médecin).

— Être reconnu, par plusieurs médecins, compétent dans sa spécialité, dans le pays où il exerce.

— S'engager à ne pas vendre ni ordonner de médicaments.

— Travailler honnêtement en étant déclaré et patenté.

C'est en somme ce que recommande le GNOMA à ses adhérents et cela constituerait non seulement un moyen de contrôle sur la pratique des guérisseurs, mais surtout une sécurité pour les malades.

Bien des guérisseurs sont très consciencieux et prêts à accepter avec soulagement une proposition qui clarifierait leur situation.

Il est anormal, dans un pays qui se veut libre, que d'honnêtes gens soient considérés comme suspects alors que leurs actions aident et sauvent parfois du désespoir. Selon leurs possibilités ou leur niveau, ils peuvent suivre une formation en médecine « douce ».

Ma fille Françoise, qui a reçu le même don que moi, a repris mon cabinet à la demande des médecins du ciel, après avoir suivi une formation de conseillère de santé (méthode Simonton), relaxation, visualisation, etc. De plus, elle a été guidée, formée et conseillée par Etty. Elle a travaillé dix-huit mois avec moi avant de recevoir la permission d'exercer seule. Au début, bien des difficultés ont surgi avec mes anciens patients qui lui disaient : « On est bien obligé de venir vers vous puisqu'on ne peut pas voir Maguy... »

La succession était lourde, mais les choses se sont tassées. Les médecins du ciel, grâce à la foi profonde de ma fille et à l'aide spirituelle apportée, ont contribué à assurer la continuité, pour ma plus grande joie !

De nombreux étrangers viennent se faire traiter spirituellement à Grenoble. Nous n'avons plus la grande maison de Saint-Nazaire-les-Eymes pour les accueillir, mais nous avons formé le projet de créer un centre de vie agréable où ils pourront se rencontrer et surtout avoir des contacts avec les gens des groupes. Il est difficile de se retrouver, seul, dans un hôtel, au cœur d'une grande ville inconnue. Nous espérons que ce lieu permettra rencontres et entretiens enrichissants.

Les groupes d'aide naissent un peu partout. Bientôt, ils permettront aux malades de se faire traiter sur place. Ce sera bien plus pratique et beaucoup moins fatigant pour eux...

A cet égard, j'insiste bien : « Ne venez jamais dans un groupe ou à Grenoble si vous n'avez pas une ordonnance, un traitement médical suivi. »

Parmi les guérisseurs, il y a ceux qui disent voir l'aura de leurs patients. Personnellement, je n'en ai jamais vu de ma vie. Je ne suis pas du tout voyante et pense même être, dans ce domaine, particulièrement « bouchée ». Pourtant, certains sont très malheureux de ne pas voir. J'ai demandé à Etty, mon ange de lumière, pourquoi je ne voyais rien. Voici sa réponse :

« Sur la terre, actuellement, les humains capables de voir les auras se comptent sur les doigts d'une main, et comme ce sont des sages et des saints, ils se gardent bien de dire ce qu'ils voient ! »

Cette sage réponse m'a rassurée et j'espère qu'elle rassurera également ceux qui la liront et qui sont aussi aveugles que moi. Certains êtres ont des dons et, comme je l'ai déjà dit, les plus grands ont en général un don spécifique pour guérir une maladie donnée. Il faut accepter nos limites, s'accepter comme nous sommes et comme Dieu nous a permis d'être. Nous ne pouvons pas

111

être médecin, coiffeur et équilibriste en même temps ! Je me méfie, pour ma part, des magnétiseurs qui se disent en même temps voyants, médiums, etc., prétendant cumuler tous les dons.

Il y a bien longtemps déjà, Mamie, mon tout premier guide spirituel, insistait : « Tu seras une guérisseuse spirituelle, rien que ça, mais tu iras jusqu'au bout de ta discipline, si dur que ce soit. »

Il me faut ici ajouter quelques mots sur la médiuminité de Daniel, mon mari.

S'il est un humble parmi les humbles, c'est bien lui. Jamais je ne l'ai entendu se vanter : « Je suis médium », et je crois qu'il a même horreur d'en parler. Il est si convaincu de n'être qu'un instrument qu'il est aussi persuadé que ni sa personnalité ni sa volonté n'y sont pour quoi que ce soit.

Les premières années, quand j'avais mon cabinet de soins, il avait si peur d'être influencé par son inconscient qu'il ne voulait pas rencontrer un malade ni que je lui dise quoi que ce soit sur les troubles de celui-ci. Souvent, il était perturbé par les messages qu'il transmettait et recevait.

Les choses se sont arrangées quand il a pu réécouter ces messages sur magnétophone (nous n'avions pas eu les moyens d'en acheter un, les premières années ; les enfants passaient évidemment avant).

Il a alors compris qu'il n'y était pour rien, surtout si certains de ces messages étaient formulés dans une langue étrangère, inconnue de lui, ou expliquant des anomalies qui le dépassaient totalement.

Leur contenu n'a jamais trait à des faits matériels, concrets — problèmes de situation, d'argent, de ventes ou d'achats, etc. — ni à des enseignements religieux, ni à des prédictions ou prévisions concernant l'avenir. Il est toujours empreint d'amour et de conseils très importants dans le domaine moral, spirituel ou médical, sans toutefois interférer avec le traitement prescrit.

Nous ne pouvons pas déclencher le phénomène à notre guise. Cela ne peut se faire que dans un climat de prière, de silence et de paix. En revanche, en cas d'urgence, quelle que soit l'heure, de nuit comme de jour, quels que soient le lieu, le pays, ça n'a aucune importance... Daniel peut être immédiatement mis en état de transe médiumnique.

Par exemple, un soir, alors que nous étions tous deux assis sur un rocher au bord de la mer et contemplions l'immensité, j'ai été alertée par des oiseaux de mer qui se rapprochaient de plus en plus de nous, venaient de plus en plus nombreux. J'ai regardé Daniel : il avait glissé un peu sur le rocher, sa tête levée vers le ciel et il m'a transmis un message d'encouragement... d'autant plus apprécié que c'était chose rare !

Il m'est demandé toujours davantage, jamais l'effort n'est suffisant, il me faut aller plus loin..., mais ces merveilleux moments de contact où, en quelques minutes, j'ai l'impression de ne plus avoir de corps, représentent la récompense suprême !

Un jour, à 11 heures du matin, Etty s'est manifestée pour me prier d'intervenir immédiatement : il s'agissait d'un enfant de quatre ans qui serait mort le soir même, à coup sûr, si une intervention n'avait été immédiatement pratiquée. Vous imaginez combien il m'était facile de donner un ordre à un chirurgien que je n'avais jamais vu ! Mais lorsque le ciel le veut, rien ne peut se mettre en travers. Tout s'est bien passé et l'enfant a guéri.

La véritable médiumnité est à la fois imprévisible et sacrée, et elle se doit d'être totalement gratuite. Pour cette raison évidente, Daniel n'a jamais accepté de recevoir un « client ». Nous ne pouvons jamais promettre quoi que ce soit à personne, et il ne sert de rien de nous écrire pour nous dire : « Demandez ceci ou cela pour moi à Etty ! »

La fréquence des messages est très variable : nous pouvons avoir trois contacts en une seule semaine et rester trois mois sans rien recevoir. Encore une fois, ce n'est pas nous qui décidons mais « eux »... A la grâce de Dieu !...

Il est, par contre, des interdits que bien des gens de bonne volonté acceptent mal et ne comprennent pas, c'est que nous refusions souvent de les accueillir à nos réunions. Vous êtes nombreux à nous demander de participer à ces réunions d'accompagnement. Nous accueillons quelques personnes chaque fois et en refusons beaucoup, et cela pour plusieurs raisons.

En premier lieu, nous sommes très nombreux : tous mes vieux compagnons présents depuis plus de trente ans ne manquent jamais d'y assister ; leurs enfants, en se mariant, ont en grand nombre amené leurs femmes puis leurs enfants. Des malades aidés ou guéris ont voulu rester par gratitude ; bref, nous travaillons par groupes de trois cents personnes environ.

En font partie les enfants, les malades qui viennent chercher un peu de secours, souvent accompagnés selon les cas par une ou deux personnes ; les petits enfants accompagnent leurs parents, ce qui est tout à fait normal... Imaginez le nombre de personnes présentes ! Nous recevons trente à quarante malades par réunion ! Il y a des règles de sécurité, de surcroît, que nous devons respecter.

Les personnes étrangères au groupe sont généralement des médecins qui veulent voir comment nous fonctionnons, pour pouvoir encadrer ensuite des groupes ; on y trouve aussi des membres ou des dirigeants de groupes pour les mêmes raisons. Par ailleurs, pour que notre travail spirituel soit efficace, il faut, malgré les énormes différences qui existent entre nous, que l'harmonie soit totale, l'osmose parfaite, et cela nous l'obtenons, si je puis dire, avec l'entraînement. Nous ne sommes plus alors trois cents mais UN, avec UN cœur, UNE âme... et trois cents membres. Rien d'évident pour ceux qui viennent pour la première fois. C'est aussi la raison pour laquelle nous n'avons qu'une rentrée au groupe par an. Nous avons essayé de diviser le groupe en deux, mais ça n'a pas marché : l'amitié est si forte que personne ne veut quitter personne.

Il s'est pourtant créé un deuxième groupe à Grenoble, avec une nouvelle équipe soignante à sa tête, d'excellents médecins. Mais ses membres sont déjà très nombreux et les demandes d'admission sont freinées. Peut-être y aura-t-il un jour un troisième groupe, autonome lui aussi, qui sait ?

Il est important et nécessaire de comprendre ce qui se joue dans les groupes, ce qui peut résulter de notre travail. Seuls des témoignages, des exemples peuvent y contribuer. En voici un parmi des milliers d'autres :

Le petit Johan est né avec un foie malade et ne peut survivre sans greffe. Mais où et comment trouver un foie sain pour le lui greffer ? Le groupe de Genève l'a aidé et suivi pendant un peu plus d'un an. Johan est suisse ; l'aide, la prière d'un groupe ont soutenu moralement et spirituellement, physiquement aussi, cet enfant jusqu'au jour où un autre enfant a été tué dans un accident de voiture ; sa famille a généreusement offert le foie sain pour sauver Johan. La greffe a été pratiquée en Belgique, à Bruxelles, par un chirurgien spécialisé.

115

Le groupe belge, averti, a reçu et entouré les parents qui, ainsi, n'ont pas été isolés dans cette épreuve en terre étrangère. Ils étaient là, fraternels, amicaux, si présents, les amis belges... Tous les groupes se sont mis en prière ; la greffe a eu lieu. Johan n'avait pas deux ans...

Quelques mois plus tard, j'ai reçu cette lettre : « Un petit bonjour de Johan et ses parents. Il se porte à merveille depuis sa greffe, grâce à Dieu et à la prière. Les médecins ont été étonnés par son rétablissement rapide. Il n'a posé aucun problème et va très bien depuis son retour en Suisse. Les épreuves par lesquelles nous sommes passés ne sont pas inutiles. Nous savons maintenant ce qu'est l'amour. Merci, merci de faire ce que vous faites... »

L'histoire de ce petit garçon constitue un exemple de fraternité, au-delà des frontières ; c'est notre raison d'exister, l'illustration de ce que nos guides spirituels ont voulu nous demander. Quelles que soient nos situations, nos épreuves personnelles, elles sont tellement moins lourdes à porter une fois partagées ! Il importe de bien s'en convaincre. Au-delà des races, des couleurs de peau, des religions, si une fraternité d'amour et d'entraide est assez puissante, elle peut couler dans les cœurs et les mains unies, bien au-delà de toute politique, de toute polémique, simplement nourrie, dans le silence, de notre sourire intérieur.

Voici donc le moment d'expliquer le plus clairement possible le fonctionnement actuel des associations d'accompagnement et des groupes.

Pourquoi ce terme d'accompagnement ? Parce que nous accompagnons véritablement le malade en difficulté, soit jusqu'à sa guérison, soit jusqu'à son départ pour l'autre rive. Il ne faut pas confondre le récit

LES GROUPES D'ACCOMPAGNEMENT

autobiographique de notre aventure, *Médecins du ciel,
Médecins de la terre,* nourri de nos expériences personnelles, parfois enrichi des aventures partagées avec nos
vieux compagnons, pionniers de fraternité, avec la
constitution des groupes d'accompagnement.

Un groupe se construit comme une maison, avec des
bases très solides, des fondations robustes. Les expériences que nous avons vécues dans un climat de prière
et d'amour extraordinaire, ce contact avec des êtres
lumineux nous ont tant apporté que personne n'a
jamais pu l'oublier. Et il m'a fallu des années et des
années pour comprendre le déroulement du processus.

Pourquoi cette première rencontre avec Mamie?
Pourquoi nous? Peut-être parce que nous avions déjà
pris en charge tous ces enfants? Peut-être aussi parce
que nous avions donné de notre nécessaire, peut-être
encore parce que nous avons accepté, nous les matéria-
listes dans notre jeunesse, les risques énormes d'une
forme de marginalité.

Nous avons fait le sacrifice de nos situations, de
beaucoup de nos relations. Nous avons accepté de nous
taire, de vivre dans le silence. Mais quelle récompense !
Cette vie si pleine d'une richesse inestimable, et tous
ces premiers compagnons, ces amis fidèles, éblouis,
comme nous, par la découverte de la vie qu'ils ont
partagée, avec nous, dans le silence et l'humilité.
Jamais plus leur vie n'a été la même qu' « avant ». Les
sacrifices, les efforts, la présence ont créé une fraternité
entre nous qui existe toujours, intacte, et qui est à la
source de tous ces mouvements d'action et d'amour qui
se sont formés partout de par le monde et augmentent
de jour en jour.

Pour créer cette amitié solide et durable, le nombre
de participants doit être stable, de faible ampleur, et...

pour que la « mayonnaise » prenne bien, qu'elle soit bien liée...

Au début, le nombre importe peu, ces réunions doivent se dérouler dans le plus grand calme et toujours au même endroit ; lorsqu'une force de prière est créée, alors on peut agrandir le groupe avec une entrée nouvelle une ou deux fois par an, par exemple, afin de ne pas perturber chaque fois la force vibratoire existante.

Lorsque les malades commencent à arriver, il est bon de leur demander si leur médecin accepterait de les accompagner. Il est encore mieux que des médecins, infirmières, soignants divers, soient présents, ne serait-ce que pour la sécurité des malades. Chacun doit se dépouiller totalement de sa personnalité, être le plus humble possible, disponible pour l'autre, au service de l'autre. Les dangers sont la soif de pouvoir ou l'orgueil. La soif d'argent aussi. Pour ces raisons, il est demandé le silence et la gratuité des soins en groupe, pour tous les malades. Nous versons, à Grenoble, une cotisation mensuelle de 50 francs par salaire, pour faire face aux locations de salles et disposer d'une caisse de secours pour ceux qui en ont besoin (cette cotisation n'est payée que par des membres actifs de l'association, et bien souvent une seule par famille) et qui le signalent au Bureau ; ceux qui ne peuvent pas payer en sont dispensés. En aucun cas, cette cotisation n'est une condition d'appartenance ou d'entrée.

Nous ne demandons jamais quelle est la religion ou l'idéologie de celui qui arrive parmi nous. Ça ne regarde que lui. Notre propos est d'enseigner l'amour et la fraternité humaine, et rien d'autre. Nous demandons toutefois la régularité de participation au groupe d'accompagnement. S'il nous arrive d'être quinze un jour, trente le lendemain, le travail du groupe ne pourra être constructif ; la force vibratoire émise n'est plus la même, les médecins du ciel se désintéressent de nous. Ce ne sont pas eux qui sont à notre service, mais nous qui sommes au leur ! L'instabilité du groupe entraîne sa dislocation. Le sacrifice de la présence — et c'en est un — est essentiel ; il vaut mieux laisser sa place et se joindre au groupe par la pensée et la prière que de manquer trop souvent les réunions. L'harmonie de notre assemblée est fondamentale ; elle conditionne la qualité de notre travail. La loi du silence après la réunion est une garantie de bonne entente car les membres présents sont parfois très différents les uns des autres. Personne ne vaut plus qu'un autre... c'est peut-être notre originalité propre !

Une de nos adeptes m'a écrit que, dans une réunion de « soins aux malades », on avait demandé de prier pour les gens qui suivaient les « groupes Maguy Lebrun »... car des juifs, des chrétiens et des musulmans priaient ensemble ! Quelle horreur ! C'est sûrement le diable qui les inspire !... Le racisme ne commence-t-il pas là ?

Je profite de l'occasion pour bien insister : il n'existe aucun groupe portant mon nom. Chacun, heureusement, a son autonomie, et je ne propose ni bannière ni étiquette ! Les groupes ne sont même pas reliés les uns aux autres. Certains sont nés dans des milieux hospitaliers, par exemple, et n'ont rien à voir avec nous. Peu importe ! L'idée est née, a grandi, et partout où des hommes prient et donnent de l'amour, Dieu est avec eux !

Voici donc, concrètement, comment se déroulent les réunions. Les groupes peuvent agir comme je le recommande, ou agir autrement. Mais notre expérience, très positive, peut indéniablement servir aux autres.

— En premier lieu, nous nous assemblons au son d'une musique de méditation, apaisante, qui dure une dizaine de minutes, le temps d'oublier nos soucis, de faire le vide, de prier et de nous concentrer.

— Puis nous prions en silence, nous méditons quelques minutes pour élever nos pensées.

— Un médecin du groupe — ou un autre membre — fait alors une lecture qu'il a rédigée, pour unir nos vibrations et préparer le malade à ce qu'il va recevoir. Ce peut être aussi la lecture d'un témoignage vécu dont tout le monde peut tirer profit ou un message du ciel datant de notre période d'initiation.

— Les soignants du groupe donnent la main aux malades pendant que d'autres se lèvent et passent leurs mains sur le souffrant. J'appelle soignants les médecins, infirmières, psychothérapeutes, kinés, magnétiseurs ou autres, peu importe, puisqu'il ne s'agit pas vraiment de magnétisme mais d'une onde, d'une vibration, d'une force de prière « guérissante », ainsi que je l'ai déjà expliqué. Pendant cet instant, très émouvant, l'assemblée immobile, silencieuse, se donne la main ; chacun prie selon sa religion, selon son cœur, en silence là encore. Nous demandons aux non-croyants de visualiser le malade « guéri », de lui envoyer des pensées d'amour, ce qui, à mes yeux, constitue une forme de prière. Ce moment est bref, mais la force dégagée est considérable, infinie. Il est tout à fait inutile de prolonger la durée de soins et de concentration.

— Toujours dans le silence, nous prions pour tous ceux qui font appel à nous, pour les hommes torturés, pour les enfants qui meurent de faim, pour la fragile paix dans le monde, pour les victimes de la guerre...

120

Une réunion de groupe dure en tout vingt minutes à une demi-heure. Pour les grands malades, c'est bien suffisant ! Bien sûr, aucun message n'est reçu au cours de ces réunions. Nous savons que des forces divines, que des médecins du ciel sont là, silencieux. Mais il y a eu tant de dérapages !

Etty, depuis la médiatisation et la venue de grands malades, nous a demandé de dépasser ce stade. Le plus difficile est de donner notre amour sans parfois connaître le malade ni le diagnostic de sa maladie, dans l'ombre, mais c'est aussi le don gratuit le plus beau. Par ailleurs, il n'est pas question de troubler un malade par des phénomènes tout à fait inhabituels pour lui.

Le groupe, c'est une famille, une mini-société avec ses joies et ses peines. Nous partageons toutes les fêtes que sont les mariages, les naissances et aussi... les épreuves que sont la maladie, la détresse, la mort.

Si l'un de nous, par exemple, se trouve en situation difficile, tous les autres sont immédiatement là pour tendre la main.

Cette année, nous avons fait une folie ! Nous nous sommes rencontrés pour la première fois, tous ensemble, pour faire un « vrai » repas ensemble, tous dans une immense salle louée à cet effet. La joie illuminait tous les visages. Enfin, pouvoir se connaître, se parler, faire éclater notre bonheur ! Il y a énormément de jeunes couples, nés dans le groupe, et beaucoup ont tenu à raconter leur histoire, à chanter à tue-tête ! Chaque mariage, chaque naissance, chaque rencontre donne lieu à une grande fête comme dans une vraie famille. La famille est un peu plus grande, voilà tout !

A quoi servent nos groupes d'accompagnement ? Écoutez parler cette malade :

« Après un gros choc, une grande frayeur, je suis

tombée malade, puis un cancer s'est déclaré. Je remercie Dieu tous les jours d'avoir retrouvé la prière à 20 h 30. Comme vous me l'avez conseillé, je suis rentrée au groupe de G. Il a été merveilleux de me sentir portée par tout cet amour, par toute cette lumière qui m'envahit à chaque réunion. Merci pour cette formidable chaîne de prière et d'espérance que reçoit chaque malade ; quoi qu'il arrive nous ne sommes plus seuls... »

Un autre exemple, au cours d'une conférence, cette fois. J'étais à Sète, la réunion se terminait ; parmi les questions écrites, voici ce que je lis : « Nous habitons la région de Montpellier, notre petite fille Audrey est bien malade ; nous vous avons téléphoné un soir et vous nous avez donné l'adresse du groupe de Montpellier ; nous sommes tombés sur des gens merveilleux qui nous ont aidés, portés. Notre petite fille n'est pas guérie, mais actuellement, elle va mieux. »

A la lecture de ce petit mot une violente émotion m'a saisie. J'ai devant les yeux des centaines de petites filles, des centaines de parents désespérés et des milliers de gens penchés sur eux pour les aider et leur donner la main. La gorge nouée, les yeux qui piquent, je me suis tue, attendant que l'émotion passe. Quand on est une vieille dame qui a vu et vécu tant de choses, on ne pleure pas devant une salle qui vous regarde. Mais j'ai senti la même émotion étreindre tout le monde. L'émotion aussi, cela fait partie du partage. L'émotion aussi fait que nous ne sommes plus seuls. « Nous ne sommes plus seuls... » Combien de fois ai-je entendu cette petite phrase ! Aider un malade en état de solitude, des parents angoissés et seuls face à leur détresse, c'est bien sûr notre rôle.

Il ne faut pas craindre d'en faire un peu plus : aller

122

chercher un enfant à l'école, aider à un dépannage matériel, parfois tout simplement en offrant une fleur, ou son sourire, en écoutant celui qui étouffe de n'avoir personne à qui dire sa peine...

A chacun selon ses moyens, ses compétences, sa bonne volonté ! Car chacun travaille dans une liberté de pensée totale, prend ses responsabilités — aucune directive d'un « maître ».

Un groupe, c'est peut-être la première porte poussée vers l'autre, celui que l'on ne voyait pas, ou plus. Pour les croyants, ce peut être l'occasion de vivre mieux ce que leur enseigne leur religion.

Le responsable d'un groupe parisien a bien compris le respect de la liberté du malade, que nous devons tous avoir :

« Vous avez raison, lorsque vous dites de respecter le malade, de ne pas aller aux nouvelles s'il ne donne plus signe de vie, de ne pas le relancer. Il y a en ce moment tellement de sectes que nous nous devons de nous démarquer absolument d'elles, par notre humilité, notre gratuité, notre respect de l'autre. Nous ne devons en aucun cas " racoler " à tout prix ; les choses se font naturellement, et souvent, tous ceux qui viennent dans un groupe de prière ont déjà fait un grand chemin personnel. C'est pour cela que nos groupes ne prêtent pas le flanc à la critique ; l'homme est faillible, bien sûr, mais en procédant de la sorte, en expliquant aussi clairement notre fonctionnement, on ne laisse pas place à la suspicion. Dans les conférences, il se trouve toujours des gens qui viennent là pour découvrir la faille. Dans la simplicité de vos témoignages, dans la clarté de vos propos, il n'y en a pas. Toujours ces allusions aux médecins traitants et aux traitements que vous ne renierez jamais. Vous avez ému des médecins présents lors de cette conférence car eux aussi sont confrontés journellement aux mêmes dilemmes.

« Nos groupes me font penser au christianisme primitif... tout se fait dans la même pureté d'intention, mais au xxᵉ siècle, nous n'avons plus à nous cacher! Nous avons fait notre dernière réunion de prière le 15 avril dernier. Une trentaine de participants, une huitaine de magnétisés. A la fin de chaque réunion, nous nous tenons encore les mains, l'esprit tourné vers ceux qui souffrent et que nous ne connaissons pas, en essayant de concentrer toutes nos pensées sur la paix dans le monde. Ensuite j'ai résumé votre conférence " La mort et après ? ", et nous sommes tombés d'accord pour faire une réunion extraordinaire sur le thème de la mort. Donc, le 27 mai nous passerons deux films au magnétoscope : *Après la vie,* qui est une suite de témoignages de personnes cliniquement mortes ; leur témoignage a été reconstruit d'après cela, ainsi que leur retour à la vie. Quelques agapes, puis nous passerons un autre film : *Au-delà de la mort,* avec témoignages de psychiatres, soignants, anciens malades, qui avait été diffusé sur Antenne 2 il y a quelques mois. Notre prochaine réunion de prière est fixée au 7 mai à 20 h 30... »

Les groupes ne témoignent pas seulement de leur engagement, mais aussi de leurs joies :

« Des épreuves de la vie naissent souvent de grandes idées, des convictions sincères qui, jointes à d'autres, peuvent réunir des êtres animés par une même soif d'amour, de vie et d'espoir. C'est ainsi que de l'épreuve d'un couple naît un petit groupe chaleureux et plein de bonne volonté. Devant l'impact croissant du livre de Maguy, la décision est prise de créer une association. Très rapidement, partis d'une quinzaine de personnes, nous approchons maintenant de la centaine. De ces mains nouvellement unies commencent à jaillir des étincelles d'un foyer de lumière.

« Dimanche, 17 h 30, comme chaque soir, nous nous retrouvons. Chacun s'installe, et notre réunion de prière se déroule dans le silence et le recueillement, comme à l'accoutumée. 19 heures : les uns et les autres se séparent. Alors que deux personnes se donnent un rendez-vous, d'autres, dans un éclat de rire, décident de se joindre à eux. Et c'est ainsi que commence une longue aventure. Se connaître, c'est " naître ensemble à quelque chose ", et nous prenons l'habitude de nous retrouver autour d'une table, pour partager repas fraternels, idées, projets... Un noyau dynamique se crée et l'envie d'aller plus loin germe dans nos têtes et dans nos cœurs. Très vite nous organisons des sorties ; théâtre, marches en forêt, visites diverses et, bien sûr, visites à nos malades chez eux ou à l'hôpital, l'accompagnement des personnes en fin de vie...

« Doucement, magnifiquement, nous découvrons les trésors enfouis en chacun. Un bulletin de liaison voit le jour. Il constitue une occasion de plus pour échanger, communiquer, s'exprimer. Il se révèle un excellent moyen pour rester en contact en dehors des réunions. La vie du groupe se transforme et un souffle nouveau prend naissance à travers des joies et des peines. Il est de ces épreuves, telle la mort d'un enfant du groupe, qui cimentent les rapports entre les êtres. La mort sépare, mais elle réunit également.

« Le projet germe dans nos esprits. Nous décidons de transformer la " Journée d'amitié " en " Voyage de l'amitié ", de faire du rassemblement d'une journée à Grenoble l'étape ultime de trois jours de cheminement fraternel. Nous sommes en décembre, nos forces se mobilisent, nous avons six mois pour organiser ce voyage. Très vite, ce simple projet prend une dimension qui va nous " dépasser ", et force est de constater que nous ne sommes que les " instruments du ciel ". L'énergie d'amour, quelque part au-delà de nous, semble s'incarner. Nous avons l'étrange conviction que " cela doit se faire ".

« Cette force commune nous porte, durant des heures, voire des nuits entières de préparation. Tout cela dans une atmosphère joyeuse de chaude amitié et de fraternité. Des hasards qui n'en sont pas, des clins d'œil de la providence amènent l'un d'entre nous à nous faire partager sa découverte du jour : deux chants, véritables hymnes d'amour (" Je prierai pour toi " et " L'Amitié "). Même émotion, même conviction : elles allaient devenir les interprètes de ce qui anime notre groupe aujourd'hui.

« Et c'est ainsi que nous nous retrouvons une bonne cinquantaine (enfants, jeunes, moins jeunes, malades et handicapés) sur le chemin de l'amitié, dans un car rempli de chants et de bonne humeur. Notre première étape nous conduit à Ars, là où vécut et œuvra le saint curé, modèle même de l'humilité, de la puissance de la foi et de la prière, et exemple du serviteur qui conduit les âmes à Dieu. Maguy a placé son groupe sous sa protection. Commence ensuite notre ascension vers Notre-Dame-de-la-Salette, lieu d'apparition de la Vierge au siècle dernier. Au long de cette route étroite et sinueuse, le silence et le recueillement s'installent. La Salette est un haut lieu de prière, point de rencontre privilégié entre lę Ciel et la Terre où l'homme peut entrer en contact avec sa propre nature divine. Dans ce " lieu magique ", subtilement, s'opère une alchimie en chacun d'entre nous : les regards s'illuminent, la complicité s'installe dans le partage de ce don d'amour.

« Nous arrivons à cette Journée d'amitié, imprégnés de ces deux jours de partage et réceptifs, ô combien, aux mots, faits et gestes de Maguy, inspiratrice de cette grande chaîne d'amour. Méditations, prières, témoignages affluent en nos cœurs émus. Vient le moment où notre groupe, rassemblé autour de l'interprète de nos mélodies, entonne, dans un même élan, ces chants répétés peu de fois, si peu, et pourtant tellement vibrants que nous nous sentons instantanément en communion avec les quelques milliers de personnes présentes. Des voies unies peuvent-elles ouvrir les portes de l'amour guérisseur de bien des âmes et corps en peine ?

« Dimanche, une semaine plus tard, 17 h 30, nous nous retrouvons pour notre réunion de groupe. Une dynamique nouvelle s'est installée, le soleil s'est levé sur un jour nouveau. Ce voyage se poursuit en nos cœurs vers le pays de l'Amitié, sur les routes de la Vie et de l'Espoir. Quelque chose est né en chacun que l'une d'entre nous, dans l'épreuve, traduit si fidèlement et si simplement par ces mots :

"Trois petites gouttes de vie. Trois jours. Trois gouttes..." »

TROIS PETITES GOUTTES DE VIE

Trois jours, Trois gouttes d'eau dans l'océan d'une vie. Et pourtant comment décrire ces trois jours-là ? Le seul mot qui me vient au cœur est le mot richesse. Dans ces trois petites gouttes de vie j'ai accumulé le plus fabuleux des trésors. Oh, dans mon escarcelle, il n'y a pas un lingot de plus, pas un sou, pas un dollar ni aucune autre monnaie. Qu'est-ce donc que cette richesse sans argent ?

127

Richesse des notes d'une guitare nous accompagnant joyeusement sur le chemin de notre pèlerinage.

Richesse d'une pauvre maison où vivait un saint.

Richesse d'une petite route qui, de lacet en lacet, découvre la splendeur d'une montagne sacrée.

Richesse d'un lieu magique, porte ouverte sur le divin rayonnement du ciel.

Richesse de visions intérieures qui brillent comme un soleil d'amour.

Richesse des repas partagés.

Richesse des mains qui se prennent et se lâchent pour saisir d'autres mains.

Richesse des sourires qui font chaud au cœur.

Richesse des rires s'égrenant en cascade.

Richesse des larmes qui coulent comme des perles de bonheur.

Richesse des mots échangés, des paroles entendues et des regards lumineux de tendresse.

Richesse de la prière en commun et du silence où tout est en paix.

Richesse des bras vigoureux qui m'ont fait oublier la paresse de mes jambes.

Richesse de la paisible beauté d'une maison au bord d'un lac.

Richesse d'amis inconnus venus des quatre coins de l'horizon pour nous dire qu'ils sont nos frères.

Richesse d'émotions qui vous bloquent la gorge et de sanglots que l'on étouffe par pudeur.

Richesse d'un frère à la voix ensoleillée de nos Antilles natales.

Richesse de poèmes chantés en chœur pour dire l'amitié qui court de l'un à l'autre comme un furet malicieux.

LES GROUPES D'ACCOMPAGNEMENT

Richesse de nos anges blancs tutélaires, ordonnateurs de notre voyage.

RICHESSE, RICHESSE, RICHESSE

Pour tout cela je n'ai pas les mots pour dire merci.
Pendant ces jours heureux je me disais que je ne pouvais pas garder tant de richesses pour moi toute seule, qu'il fallait en distribuer. Et puis, tout au fond de moi, Jésus m'a dit :
« Garde ton trésor. J'en ai donné autant aux autres. Ne sais-tu pas que mes richesses sont inépuisables et mes mains ouvertes ? »
Seigneur, oui, c'est toi qui donnes, jusqu'à satiété. Cependant, il arrive que des hommes égarés ne savent pas où aller te chercher. Aussi nous laisserons nos coffres aux trésors ouverts, et tant pis si l'on nous pille puisque tu nous combleras de nouveau.

Parmi les cadeaux reçus du groupe, il y a aussi cette « prière de l'artisan » que m'envoie un artiste. Elle est si belle que je ne résiste pas au plaisir de vous la communiquer, car nous devons tous l'écouter, avec notre âme, ne jamais oublier ce qu'elle contient : « Rappelle-moi, Seigneur, que l'ouvrage de ma main t'appartient et qu'il m'appartient de te le rendre en le donnant ! »...

« Au moment des vacances le groupe est dispersé. Chacun a besoin de repos. Auparavant, j'ai organisé une réunion de tous les responsables de groupes de la région et nous avons décidé de mettre en commun nos expériences. Nous nous communiquerons les plus beaux textes de lecture, nous échangerons nos idées pratiques pour aider les malades dans les hôpitaux et en tant que bénévoles pour les soins palliatifs, comme nos actions d'aide à domicile pour ceux qui sont disponibles.

« Nous ressentons tous un besoin impérieux de prière et de méditation à 23 h 30 un peu avant, de façon à faire le vide de nos préoccupations et pouvoir être disponibles aux autres. Le groupe marche bien ; il se soude dans le partage des joies et des souffrances, tous ensemble unis, lorsque des grâces sont accordées.

« Nous avons conscience qu'il faut être très vigilants et très humbles. Le travail sur nous-mêmes doit être constant. Quant à moi je travaille dans le domaine de l'art, que je considère comme une belle motivation, comme un cadeau. Je participe à une exposition dans une abbaye. Tous les amis qui exposent avec moi travaillent dans le même esprit que cette " prière de l'artisan " que je vous envoie... et que je publie pour tous les artisans qui la liront :

PRIÈRE DE L'ARTISAN

« APPRENDS-MOI, SEIGNEUR, à bien user du temps que tu me donnes pour travailler et à bien l'employer sans rien en perdre. Apprends-moi à tirer profit des erreurs passées sans tomber dans le scrupule qui ronge. Apprends-moi à prévoir le plan sans me tourmenter, à imaginer l'œuvre sans me désoler si elle jaillit autrement.

« Apprends-moi à unir la hâte et la lenteur, la sérénité et la ferveur, le zèle et la paix. Aide-moi au départ de l'ouvrage, là où je suis le plus faible. Aide-moi au cœur du labeur à tenir serré le fil de l'attention. Et surtout, comble Toi-même les vides de mon œuvre. Seigneur, dans tout labeur de mes mains laisse une grâce de Toi pour parler aux autres et un défaut de moi pour me parler à moi-même. Garde en moi l'espérance de la perfection sans quoi je perdrais cœur. Garde-moi dans l'impuissance de la perfection, sans quoi je me perdrais d'orgueil. Purifie mon regard : quand je fais mal, il n'est pas sûr que ce soit mal, et quand je fais bien, il n'est pas sûr que ce soit bien.

« Seigneur, ne me laisse jamais oublier que tout savoir est vain, sauf là où il y a travail. Et que tout travail est vide sauf là où il y a amour. Et que tout amour est creux qui ne me lie à moi-même et aux autres et à Toi. Seigneur, enseigne-moi à prier avec mes mains, mes bras et toutes mes forces. Rappelle-moi que l'ouvrage de ma main t'appartient et qu'il m'appartient de te le rendre en le donnant. Que si je fais par goût du profit, comme un fruit oublié je pourrirai à l'automne. Que si je fais pour plaire aux autres, comme la fleur de l'herbe, je fanerai au soir. Mais si je fais pour l'amour du bien, je demeurerai dans le bien. Et le temps de faire bien et à ta gloire, c'est tout de suite. »

Ce qui se passe à l'intérieur des groupes, pour les malades en particulier, représente une expérience unique, extraordinairement porteuse d'évolution, de prise de conscience, de contact avec l'amour vrai qui, à lui seul, peut « faire des miracles ».

Voici un témoignage bouleversant, qui m'a été offert par une jeune malade que le groupe a aidée dans sa lutte pour vivre :

« Quand j'ai rencontré Maguy pour la première fois, ma vie ne tenait qu'à un fil. Et ce fil, j'attendais qu'il casse, avec résignation et soulagement. Fatiguée par des traitements médicaux et chirurgicaux lourds et peu efficaces, lassée d'avoir à abandonner peu à peu projets, études, loisirs ; isolée par plusieurs années de maladie, je ne voyais plus aucune raison de me donner tant de mal pour tenter de continuer la route. C'est mon médecin qui a pris alors l'initiative de me conduire à Saint-Nazaire-les-Eymes pour tenter de stopper la chute. Je n'ai pas refusé, convaincue que cela n'aboutirait à rien, mais tant que personne ne me demandait de retourner à l'hôpital... ! Que s'est-il passé alors ? Rien de spectaculaire en apparence, et pourtant ! Maguy m'a d'abord prise en charge, sans rien demander : j'avais un médecin, cela suffisait et j'étais acceptée telle quelle d'emblée. Acceptée et aimée, et ça, je l'ai ressenti dès la première fois.

« Puis il y a le choc créé par cette réunion d'une trentaine de personnes, dont des médecins. Difficile de décrire l'impact de leur seule présence quand on sait qu'en moins de 48 heures ils s'étaient rendus disponibles à 20 h 30 et réunis autour de moi qu'ils ne connaissaient pas. Et tout cela, uniquement pour me donner la main en priant silencieusement. L'autre choc qu'a été la première rencontre avec le " grand groupe ". Tout à coup, je fus si profondément émue par tous ces inconnus qui priaient pour moi que, athée pourtant, je ne me sentais plus le droit ni l'envie d'abandonner, même si le traitement qu'on me proposait me semblait bien aléatoire. Quelques-uns d'entre eux, sans jamais poser de questions et toujours très discrètement m'ont aidée très concrètement : petits coups de main, simple présence. Prêts à utiliser leur énergie pour que je m'en sorte, ils étaient tout autant prêts à m'accompagner jusqu'au bout, si tel devait être le cas. Et cela m'était précieux car il m'était enfin possible d'évoquer cette fin anormalement proche sans provoquer ni fuite ni pieux mensonge.

« De réunions de groupe en séances de soins indivi-
duels avec Maguy, j'ai retrouvé assez de courage pour
accepter une nouvelle intervention. Et j'ai eu besoin de
toute l'énergie possible pour affronter le diagnostic
qu'elle m'apportait, celui d'une maladie chronique se
caractérisant par une prolifération d'angiomes sur le
tube digestif et évoluant par poussées hémorragiques
successives. Pas de traitement connu, sinon symptoma-
tique, par la chirurgie répétée et les transfusions,
moyens délicats mais qui m'ont permis de franchir
plusieurs caps difficiles. Depuis plus de quatre ans, le
groupe est à mes côtés à chaque nouvelle bataille, et
plus l'issue est incertaine, plus ils sont présents, sans
jamais faiblir.

« Mais il faut absolument dire aussi que pendant tout
ce temps un travail impalpable s'est effectué en moi,
sans que je sache comment, car il n'y a jamais rien eu de
spectaculaire. Pourtant, il s'est passé quelque chose de
très fort pour moi. C'étaient des soins intensifs, environ
vingt-quatre heures après une intervention. J'avais très
mal et ne pouvais recevoir aucun antalgique avant
plusieurs heures, et la douleur allait s'amplifiant.
Comme 20 h 30 approchait, j'essayai de me calmer et de
me détendre. Pas facile quand on a l'impression qu'un
feu de forge s'est installé dans son ventre ! Et là, je me
suis " endormie ", pour me réveiller dix minutes plus
tard. Mon premier réflexe fut de m'en vouloir terriblement d'avoir laissé passer ce moment privilégié en
dormant. Alors j'ai réalisé qu'il était bien étrange de
s'assoupir si brusquement avec une pareille douleur, et
aussi que je n'avais plus mal du tout, et que j'étais
même étonnamment à l'aise. Personne n'était venu et
aucun calmant ne m'avait été administré. Je n'ai jamais
pu " expliquer " la raison de ce bien-être soudain, mais

je sais que depuis lors, chaque fois qu'il m'arrive d'" oublier 20 h 30 ", je m'en veux.

« Aujourd'hui, je peux dresser un bilan de ces quatre ans de présence au sein du groupe. J'ai appris que la maladie, pour importante qu'elle soit, ne me réduit pas au seul état de " malade " ; je veux dire que la maladie a cessé d'envahir ma vie au point d'en chasser tout le reste. De plus, je *crois* à la possibilité d'une guérison, même si je *sais* qu'elle est improbable. Ensuite, j'ai compris que ce que je vis n'est pas dû à une accumulation de " fantaisies " du hasard, mais que tout a une raison d'être. En revanche, je ne veux plus perdre mon temps à chercher cette raison car je suis convaincue que la seule chose qui compte est de vivre le mieux possible tout ce qui m'arrive, d'heureux ou de malheureux. La maladie m'a fermé des portes que je croyais fondamentales pour ma vie ; je constate que cela a été pour mieux me forcer à en ouvrir d'autres que j'aurais probablement ignorées toute ma vie durant. Grâce au groupe et à sa foi contagieuse, j'ai moi aussi trouvé la foi et, avec elle, la paix, quoi qu'il puisse arriver. Je ne prétends pas avoir abouti à un résultat tangible car j'ai toujours peur de la souffrance, je pleure à chaque rechute et je regimbe devant les épreuves. Mais maintenant, je pense sans peur à l'au-delà et, paradoxalement, je n'ai jamais eu autant de joie à vivre le quotidien.

« Mes projets ont changé, bien sûr. Je sais par exemple que je ne terminerai plus mes études, que je ne fonderai pas une famille. Mais ce qui était désespoir, il y a quatre ans, est devenu un atout car je veux utiliser mes connaissances et ma liberté pour aider d'autres personnes à faire un bout de chemin en créant un lieu de rencontre et d'accueil à Grenoble. Je continue à être soignée individuellement au sein du groupe. Et je ne suis pas près de baisser les bras. »

Comment ne pas remercier, et cette malade, et le groupe tout entier, et les médecins du ciel, et la divine providence elle-même lorsqu'on lit de tels témoignages, et que l'on prend conscience du chemin parcouru par ceux qui viennent à nous. Sans oublier les médecins qui ont le courage de lutter à nos côtés. Pour leurs patients !

Grâce à cette malade, le centre dont je vous ai parlé vient de se créer à Grenoble : il se nomme « La Maison », tout simplement.

Anne, « qui ne veut pas baisser les bras », constituera un exemple vivant pour aider et soutenir ceux qui viennent de loin parfois nous rencontrer, se faire traiter, inonder d'ondes d'énergies cosmiques, par ma fille Françoise, ou d'autres. Ils peuvent aussi, en cas de besoin, rencontrer les médecins « de la Terre », du moins ceux qui sont dans notre groupe. Avoir des entretiens spirituels avec moi, si je suis à Grenoble, lors de leur passage. Bénéficier bien évidemment de la puissance des réunions de prière et d'amour.

L'hôtel est cher, d'une part, mais c'est surtout un lieu anonyme et froid. « La Maison », elle, offrira la possibilité de rencontres, de discussions pour ceux qui le désirent, de repos, et sera surtout un nid d'amitié, de chaleur. On y apprendra parfois à vivre avec une maladie, ou une infirmité. Ce sera une espérance pour la vie de demain, une porte ouverte, la première marche vers plus de sérénité et, pourquoi pas, de bonheur. Ce sera aussi un lieu de joie. La joie et l'espérance sont des petites sœurs pleines de parfums.

La vie des groupes... c'est peut-être aussi la vie de ceux qui sont là depuis si longtemps... Leur vie de tous les jours. Mes vieux compagnons, fidèles, si présents, ces participants à l'amitié, à la fraternité, au don.

Ils mènent une existence normale, avec les épreuves et les joies simples du quotidien. Toujours là en cas d'urgence, totalement libres dans leurs actes. Ils sont les premiers maillons de la chaîne, la chaîne des mains unies qui, petit à petit, fait le tour du monde.

Au nom de tous, Claude et Maryse racontent leur histoire d'exilés parisiens, reconvertis en Grenoblois. Avec les années, ils sont devenus « les Anciens » de notre association.

« Notre histoire pourrait commencer un conte, par... Il était une fois ! Elle relève du merveilleux puisque les premiers pas de notre vie de couple nous ont guidés vers Grenoble, donc vers Maguy et Daniel.

« Mais c'est toujours mieux de commencer par le début, forcément. Lorsque j'ai rencontré Claude, titi parisien par excellence, un soir de réveillon, il arrivait de Grenoble avec trois de ses copains. Il était le plus rigolard d'entre eux, avec un sens inné du comique et une facilité déconcertante pour mettre en scène les situations. Il me raconte leur " tour de France " des vendanges qui devait se terminer à Grenoble après une halte désopilante à Genève (qui croirait que Genève soit une ville si comique ?). Pourquoi Grenoble ? Mais parce qu'à Grenoble, il y avait Maguy et Daniel qui, depuis plusieurs années, avaient sa nièce en pension pour des raisons de santé. Et ce couple l'attirait pour de multiples raisons : leur chaleur, leur vie, tout un halo autour de ce couple peu commun. Il fallait bien ce halo pour qu'il l'intègre à une soirée de réveillon de Noël ! Claude les connaissait bien et il était particulièrement

136

heureux de servir de guide à Maguy lorsqu'elle allait à Paris sans Daniel.

« Lorsque la décision fut prise de nous marier, Claude me proposa de quitter Paris et sa vie folle pour aller où ? Mais à Grenoble bien sûr ! Pour me convaincre, il se met à m'expliquer : " Ils ont plein d'enfants chez eux, ils vivent une expérience spirituelle hors du commun, ils sont à l'écoute de malades, de déshérités mais, et cela pour Claude était l'essentiel et l'est toujours, ils sont débordants de chaleur, ils aiment rire (oh combien !), ils s'aiment, ils sont donc normaux, on peut y aller. " Pour moi, en fait, ce couple doté de dons aussi extraordinaires ne me paraissait pas faire partie du commun des mortels. Mais après les avoir rencontrés une première fois, je décidai que Claude avait raison et que Grenoble était la ville rêvée pour construire notre vie. C'est ainsi qu'au lendemain de notre mariage, nous sonnons à la porte de Maguy et Daniel. Il était tôt, une fenêtre s'entrebâille et la tête de Maguy paraît. Elle s'esclaffe et s'écrie : " Ils sont déjà là ! "

« Plus de trente ans ont passé maintenant et nous sommes toujours là. Nous avons vécu des années fantastiques. Après avoir cheminé tranquillement, attentifs à ce que nous apprenions, nous avons à présent le privilège d'être devenus les " Vieux du groupe ". Mais ne nous méprenons pas, toujours et encore jeunes, j'y tiens !

« Nous avions alors vingt-deux et vingt-cinq ans, et nous avons vécu les débuts du groupe avec Maguy et Daniel, et leurs enfants. Auprès d'eux et avec eux, nous découvrions une autre façon de vivre, de penser, d'être. Peu à peu, notre famille nous a rejoints à Grenoble.

« Deux garçons nous sont nés. J'ai eu des difficultés pour mettre le premier au monde, des ennuis de parcours pour le second, et bien sûr nous avons fait face. Dire que tout était facile serait faux. Lorsque le coup est assené, on courbe toujours le dos et on a le cœur plus douloureux. Mais nous avons eu d'abord Maguy et Daniel à notre écoute, puis aussitôt Etty, sa douceur et son affection, et chaque fois tout devenait plus facile à affronter. Notre façon d'affronter était de garder confiance, d'essayer d'être forts et, petit à petit, les situations se clarifiaient. Nos garçons et la fillette qui a rejoint plus tard notre foyer ont appris à réagir comme nous. Nous ne leur avons jamais imposé de nous suivre. Cela s'est réalisé normalement. Ils nous ont vus vivre et, tout naturellement, ils ont voulu participer à leur tour avec le même enthousiasme.

« Je me rappelle l'aîné, vers l'âge de cinq ans environ, qui ne voulait pas que la porte de l'appartement soit fermée parce que, disait-il, " comment feraient ceux qui en avaient besoin pour entrer ". Le deuxième se distinguait, lui, en entraînant une vraie meute de gamins avec lui. L'aîné vient de passer une année en Angletere et il s'est mis à chercher là-bas une Église qui lui rappelle son groupe, cela lui manquait.

« Notre richesse, depuis notre arrivée à Grenoble, c'est de nous être bien intégrés à notre groupe, tous nos amis, certains plus intimement que d'autres bien sûr, mais c'est normal. Et si nous avons prié ensemble, bataillé pour tirer d'affaire l'un ou l'autre, nous avons aussi bien ri ensemble. Sans compter les quelques soirées ou réveillons mémorables, où chacun y allait de son talent de conteur, de chanteur ou de musicien, et le plus grand nombre n'hésitant pas à participer, car il faut du talent pour savoir être un bon animateur. Quel plaisir de nous trouver réunis !

« Et c'est ensemble, que du début à maintenant, nous

138

avons apporté notre pierre pour qu'aujourd'hui notre action soit la même, et pourtant différente. C'est vrai que nous étions heureux de ce que nous faisions discrètement, dans l'ombre de l'anonymat. C'est vrai que nous avons un peu craint d'en sortir, mais c'est vrai aussi que c'est fort réconfortant de voir venir à nous tant d'amis.

« Accompagner ceux qui partent, c'est toujours bouleversant. Être auprès de ceux qui pleurent, ça l'est encore plus. Mais mettre du baume sur les plaies, c'est vivre une vraie richesse, et nous sommes conscients de vivre quelque chose d'exceptionnel. Je tiens à dire qu'il faudrait un réel talent de conteur humoristique pour témoigner, car c'est du dynamisme, du punch, de la joie que nous avons dans le cœur. »

Le groupe de Lyon est uni par des liens profonds à celui de Grenoble. Ses quelques années d'existence lui ont permis d'éprouver le fil de son vécu : les difficultés rencontrées, la solidité, la fidélité de son engagement.

« Chaque membre sait qu'il est participant, à part entière, de la vie du groupe. La qualité de son apport personnel est une richesse pour l'ensemble. C'est en travaillant chacun à grandir, jour après jour, dans le silence, de réunion en réunion, avec ce don gratuit d'amour et de foi partagé, que peut s'établir une communication plus vraie, dans la prière. Elle nous permet d'accueillir, d'aider à notre mesure, tous ceux qui font appel aux groupes.

« Plus concrètement, il doit y avoir entre nous tous une amitié très vivante, une bonne compréhension. Ce sont les points essentiels de ce qui fait la *force* du groupe. Nous savons que nous devons progresser. Nous mesurons la distance à parcourir encore.

« Pour nous aider, nous essayons de développer certaines initiatives, qui nous permettent de nous connaître davantage : rencontres entre nous, par quartier — une écoute, un service plus présents. Certains ont suivi une formation d'accompagnement des mourants. D'autres sont plus près d'enfants défavorisés, de personnes âgées.

« Des sorties, des soirées sont organisées. Nous y tenons beaucoup, comme le pèlerinage à Ars, la visite à la Grotte de la Luire. A chaque réunion, une équipe de soignants — médecins et thérapeutes au service des souffrants —, unis à toutes les mains liées, aident les malades. Nous nous rejoignons alors dans la prière de tous ceux qui prient Dieu.

« La méditation ci-après sera la conclusion choisie, ou plutôt le chemin à suivre vers cet idéal de vie et d'amour qu'ont tous les groupes. »

Voici une lecture proposée par le groupe de Lyon.

PARDONNER

PARDONNER, ce n'est pas tout laisser passer

PARDONNER, ce n'est pas tout oublier

PARDONNER, ce n'est pas être faible — C'est être assez fort pour vaincre le mal

PARDONNER, c'est refuser la rancune, l'exaspération, la vengeance ; le mal que m'a fait l'autre me brûlera peut-être longtemps, mais je refuse de lui faire payer

PARDONNER, c'est regarder la faute en face, c'est la regarder à deux : celui qui l'a commise et celui qui la pardonne — Mais s'il y a amour, il n'y a ni juge ni victime

140

PARDONNER, c'est redonner ma confiance, sans réserve, à celui à qui je pardonne. C'est lui dire « Tu es meilleur que ce que tu as fait. »

PARDONNER, c'est lui permettre de retrouver confiance en lui-même

PARDONNER, c'est porter avec l'autre le mal qui est en lui, et qui est en moi aussi. Demain, c'est lui qui devra me pardonner. Ensemble, nous sortirons du mal qui est en nous

PARDONNER, c'est vivre et faire vivre avec un cœur nouveau

PARDONNER, c'est aimer deux fois !

Paule donne ci-après un exemple de collaboration de nos groupes.

« Paule a un cancer depuis dix ans. Elle a subi trois opérations en quinze mois. Après une grave rechute qui l'a laissée sept mois alitée, sans pouvoir marcher, le chirurgien lui a annoncé six mois de survie environ. Après divers traitements sans résultat, elle est venue se confier au groupe de Grenoble. Un médecin grenoblois l'a prise en charge. Plusieurs examens effectués lui laissent espérer un mieux à plus ou moins longue échéance, à condition de vouloir se battre, d'avoir la volonté de vivre.

« Le groupe de Lyon, dont elle faisait déjà partie, et le groupe de Grenoble, *unis* dans leurs efforts, l'aident à accepter physiquement le traitement médical ; moralement, à surmonter cette douloureuse épreuve. Elle explique que de se trouver avec une grande famille, pleine de gentillesse, de bonté, présente, silencieuse, lorsque le creux de la vague l'emportait, lui a permis de

141

se sentir soutenue, plus forte, plus motivée, et elle a enfin pu trouver le courage de lutter.

" J'ai, dit-elle, ressenti, au cours des réunions, cette chaleur humaine, cette énergie, cet amour qui agit en profondeur et me donne des ailes pour repartir. C'est grâce à eux tous que je suis là aujourd'hui. Comme il est bon de se réveiller chaque matin en remerciant Dieu de m'accorder un jour de plus à vivre, de voir le soleil se lever, d'écouter chanter les oiseaux.

Comme il est bon de jouir de la nature et de sourire aux passants. " »

Le groupe de Toulouse témoigne à son tour :

« 20 h 30. Tous les soirs, à cette même heure, nous nous réunissons par la pensée. Cette pensée, qui est le cœur. Chacun de nous devient ainsi un maillon de la grande chaîne universelle d'amour pour soulager les souffrances terrestres. Une fois par mois, nous la renforçons en unissant nos mains et notre groupe dessine alors réellement un grand cœur aimant, compatissant, débordant du désir d'aider, d'aimer, et la même intention nous relie :

" Quand je souffre dans mon corps, je cherche de l'aide pour guérir.

Quand je vois la souffrance de l'autre, sachant qu'elle pourrait être la mienne, je me rassemble avec d'autres pour mieux la combattre.

Quand les médecins du ciel voient notre souffrance, nos efforts pour l'éliminer, ils se souviennent de leur propre combat et encouragent notre espoir car ils savent, eux, maintenant, que ma guérison est possible. Alors ils nous tendent la main, et entre notre groupe et le ciel se recrée un lien permanent d'aide et d'amour ;

ainsi, les malades pourront guérir, et ceux qui nous quittent partiront guéris. ''

« Et c'est ainsi que, depuis le 15 septembre 1987, après la venue de Daniel et Maguy Lebrun, auréolés du message d'Etty, nous sommes une centaine (médecins et accompagnants) à harmoniser nos cœurs et nos pensées pour un combat contre la douleur, le mal et l'angoisse de vivre et de mourir. Chacun participe avec sa propre sensibilité, chaque expérience est unique, mais nous sommes tous unis pour le même message d'amour inconditionnel et d'élans vers ceux qui souffrent. L'amour est notre bouclier, et son énergie, nos victoires. Mais qui donne le plus à l'autre ?

« Notre groupe, si soudé, qu'il est plus un réservoir d'énergies, de compassion, d'entraides, que le rassemblement de quelques bonnes volontés, ou la dimension surhumaine, nourrie d'oubli de soi, de générosité, de confiance, de lumière, de ceux qui nous avons accompagnés le plus loin possible dans leur voyage transcendant. Nous les avons tant aimés : Blanche, Armand, Laurie...

« Ils nous ont dit : '' J'ai pris conscience de la vie après la mort, cette expérience douloureuse a été, grâce au groupe, analysée et transformée en positif. J'ai rencontré la lumière, la sérénité, et le don d'amour pour les autres. ''

« Et nous avons entendu et retenu : '' Tu t'appelais Blanche, tu avais le corps usé, le crâne devenu chauve ; ton corps n'était que douleur, mais dans ton sourire et tes yeux, j'ai trouvé la lumière. ''

« Laurie est maintenant au royaume des Anges. Elle remercie tous ceux qui l'ont accompagnée, le temps de son voyage. Elle vous aime et vous protège. Ce soir, parmi nos soignés, une fleur blanche remplace Laurie, notre petite poupée blonde, comme dit Claire. Laurie a quitté notre plan hier matin, et a transité dans la lumière et dans la force du travail invisible qu'elle est venue accomplir parmi nous.

« Leur exemple nous a fait prendre conscience de la force divine qui nous habite et qui peut soulever des montagnes. Nous sommes tous, maintenant et après, sur un même chemin, entre notre père céleste et notre mère la terre, guidés par l'amour divin et humain qui, réunis, peuvent accomplir tous les miracles, celui de la guérison, et celui de la paix dans le monde.

« Mais il faut le vivre et non en parler, en créant des petites unités d'accompagnement, des groupes, des rassemblements où toutes confessions confondues, au-delà des barrières religieuses, sociales, raciales, le seul objectif soit l'énergie de l'amour qui est tout à la fois amour-force, amour-pardon, amour-don, amour-reçu, amour-liberté, amour-conscience, amour-respect, amour-santé, comme les branches de l'arbre de vie dont les racines sont l'amour qui va en profondeur.

« Le bois est l'amour solide qui résiste à toutes les intempéries. Les branches sont l'amour qui s'épanouit et protège. Les fruits sont l'amour qui donne et qui peut apaiser toute soif. Les graines germent dans le cœur des êtres et elles sont de la même nature que ce cœur.

« Et ce sont les actes d'amour d'Etty, de Maguy et de Daniel, qui ont redonné vie à ce grand arbre, qui, maintenant, peut déployer à l'infini ses branches et ses racines dans le monde entier. Un malade qui meurt dans la paix, c'est la plus précieuse des récompenses, un vrai cadeau du ciel. »

Un autre groupe a tenu à nous apporter sa contribution :

« Notre petite assemblée grandit. Notre première

malade qui souffrait tant, qui avait si peur de la mort, est partie paisible, sereine, et nos larmes étaient des larmes de joie. Notre deuxième malade, seule à l'hôpital, a eu tous les jours une visite de l'un d'entre nous. Elle est guérie. Les médecins disent : " C'est miraculeux. "

« Oui, la guérison spirituelle est aussi la guérison de l'âme, la guérison de la peur de la mort, l'acceptation de son destin, de son lendemain. Nous ne pouvons apporter que notre prière, notre présence, notre amour, mais Dieu seul décide. Les prières sont des fleurs d'amour qui accompagnent ceux qui partent parfois dans la joie, un sourire aux lèvres. C'est notre raison d'exister. »

Chaque groupe possède son autonomie absolue, je ne cesse de le répéter. Il en existe, à présent, une grande diversité qui commencent à porter témoignage de leur travail, à nous faire part de leurs réflexions.

Avant de clore cette liste de témoignages, je tiens à ajouter ces quelques lignes concernant le curé d'Ars que de nombreux groupes ont pris pour saint patron et qui était déjà, à l'origine, celui des Grenoblois.

Né à Dardilly, près de Lyon, le 8 mai 1786, Jean-Marie Vianney était le quatrième enfant d'une famille de six enfants. Ses parents, simples, humbles et infiniment bons, ouvraient leur maison à tous les gens de passage, pèlerins ou mendiants. L'enfant grandit dans cet esprit de charité fraternelle. Il apprit l'amour de Dieu, la prière, et participa activement à la vie des champs, aimant s'isoler pour prier.

Il avait pour habitude de dire : « Il faut prier comme des enfants qui disent tout à leur mère. »

145

A dix-sept ans, il décida de devenir prêtre, mais n'ayant pu pousser loin ses études, il n' « entend point le latin » ! Il lui fallut attendre l'âge de vingt-neuf ans pour réaliser ses vœux. C'est le 13 août 1815 qu'il est ordonné prêtre à Grenoble.

Enfin, en 1818, il est envoyé à Ars, petit village des Dombes, dans l'Ain. Il a l'allure un peu gauche, est de santé fragile, mais il réussit très vite à convertir sa paroisse. Il construit des écoles, des orphelinats, se dépouille de tout pour les pauvres. Très vite, on vient de partout pour rencontrer celui qui lit dans les âmes, le médium, le mystique, le guérisseur, le saint. On dit que cette foule atteignit jusqu'à cent vingt mille personnes dans une seule année.

Il passait des jours et des nuits à prier, à écouter, à prendre sur lui tant de misères humaines, à fortifier et à soigner les âmes ! Autour de lui, de nombreux miracles se produisaient. Il reçut bien des titres honorifiques mais n'y attachait aucune importance ; souvent même il ne les acceptait qu'en échange d'argent qu'il utilisait pour les pauvres.

Peu à peu, sa santé s'affaiblit. On ne vit pas impunément pendant quarante ans avec deux ou trois heures de sommeil et un seul repas par jour, sans sentir l'usure du corps, la fatigue s'accumuler et la vieillesse peser lourdement sur les épaules.

Le 4 août 1859, à soixante-treize ans, le curé d'Ars s'en alla en disant : « Que Dieu est bon ! Quand on ne peut plus aller le voir, c'est lui qui vient ! »

En 1905, le pape Pie X le nomme patron de tous les curés de France. En 1925, il est proclamé saint. Jean-Marie Vianney représente le symbole même de l'humble serviteur qui prépare les âmes à rencontrer et accueillir Dieu dans leur vie. La sienne est un modèle

LES GROUPES D'ACCOMPAGNEMENT

de sacrifice, de renoncement, mais aussi et surtout de la force qu'un homme peut tirer de l'amour de Dieu, de l'amour pour Dieu. Et nous ne pouvons que nous réjouir de ce que tant de groupes l'aient revendiqué, après nous, comme patron et comme recours, aux heures difficiles.

LECTURES POUR LES GROUPES

De nombreux groupes me demandent comment écrire et choisir les lectures qui seront faites.

Tous les membres du groupe peuvent écrire ces messages, mais à Grenoble, le plus souvent, ce sont des médecins et parfois d'anciens malades guéris qui témoignent, comme je l'ai déjà précisé.

Les lectures, en principe, sont neutres sur le plan religieux, pour pouvoir s'adresser à tous. Je vous livre quelques-uns de ces textes qui peuvent servir de modèles ou être lus dans les groupes de travail. Notre but, à travers eux, est de préparer les malades à se recueillir et aussi d'unifier les pensées de tous les participants.

Voici tout d'abord une lecture faite au cours de notre première réunion de l'année 1990 :

« En ce début d'année, recevez la paix. La paix apportée par nos guides, par tous nos amis de l'au-delà. Qu'ils apportent en cette aube nouvelle, en cette aube d'espérance pour la terre de demain, les forces spirituelles qui sont nécessaires aux multiples tâches qui vous attendent, les petites, les humbles, les plus grandes parfois. Car n'oubliez pas que votre vie terrestre vous asservit souvent aux tâches matérielles, morales, spirituelles. Que votre corps est ainsi lié à la terre. Qu'il nous faut à tous beaucoup d'unité, de foi, de calme, beaucoup d'union dans nos prières pour accéder à plus d'efficacité ; et croyez-moi, il vous sera demandé toujours davantage. Mais lorsque, loin de nos soucis journaliers, nous nous retrouvons tous unis dans notre prière, nous sentons la joie d'être ensemble et le bonheur d'ouvrir une toute petite fenêtre sur la réalité de l'autre versant, sur l'incommensurable bonté de Dieu.

« Pendant bien des années, vous avez prié pour les malades, pour la paix, pour que reculent les engins de mort, pour les hommes torturés, pour la souffrance des enfants. En cette aube nouvelle, des dictatures tombent, des bouleversements incroyables se produisent, des événements qui sentent la liberté, des images qui font pleurer mais font frissonner d'espérance. La prière des hommes, de tous les hommes qui peinent, souffrent à travers le monde, y est pour quelque chose. La prière de toutes les âmes de ceux qui sont morts pour que nos enfants vivent, tous ceux qui ont sacrifié leur jeunesse, y est pour quelque chose.

Ce soir, dans cette première réunion nous unirons nos prières, eux au-dessus de nous et nous tous dans la chaîne de nos mains unies. Avec l'étoile d'espérance au fond de notre cœur, nous serons en communion de pensée car il vous sera toujours demandé, toujours plus...

Il n'y aura jamais assez de prières, de sacrifices, de pensées envoyées dans l'univers tant qu'un homme mourra sous la torture et tant qu'un enfant mourra de faim.

Que notre prière soit pure, vaste, universelle, terrestre, céleste ! Que notre prière soit forte, lumineuse et qu'elle puisse apporter un instant de silence, de paix, un instant seulement, mais un moment de répit à une souffrance ! Que la paix soit dans nos esprits à tous ! »

Voici une autre lecture, très différente de la précédente :

« Ses lunettes étaient fort sombres et lui permettaient à peine de deviner la réalité et la clarté des choses. Dans la pièce où il avançait, les meubles étaient disposés pour le servir, la table, les chaises et tous ces meubles avaient une fonction, mais il ne le savait pas, car ces objets, en vérité, il les voyait fort mal. Aussi, bien souvent, lui arrivait-il de heurter une chaise ou le coin de la table, quelquefois de façon violente et douloureuse, et parfois même de tomber sans comprendre.

« Comme il était instruit, car il se trouvait que malgré sa paire de lunettes qui l'empêchait de voir, il avait entendu beaucoup de choses, il pensait que peut-être cette douleur était la rançon d'une faute passée. Il avait entendu dire que " tout être souffre de ses propres défauts " et sans prendre garde à cette distinction subtile entre un défaut et une faute, il en vint à considérer les fautes qu'il s'était reprochées toute sa vie et il cherchait ainsi dans l'ombre de ses pensées un sens à sa maladie. Il aurait pu considérer non pas ses fautes, mais son défaut de vision, mais de ce défaut-là il n'avait pas conscience : ce pour quoi nous souffrons, nous en sommes rarement conscients. Il y a là une réalité qui opère à notre insu et qui se joue de notre savoir.

« Il erra ainsi longtemps dans le brouillard, persuadé d'un sens, mais ne sachant lequel, comme une question lancinante qui accompagne la douleur physique : pourquoi ?

« Les réponses à cette question n'ont pourtant pas manqué : son médecin, d'abord, lui donna une explication savante de sa douleur d'estomac. L'ostéopathe ensuite, d'un point de vue différent, lui expliqua que sa douleur d'estomac provenait d'un déplacement vertébral et que ses maux de tête s'expliquaient de la même façon.

« L'iridologue naturopathe lui fit remarquer que sa nourriture était trop acide. L'astrologue lui apprit qu'il avait Mars dans le signe du Cancer, planète de la brûlure dans le signe de l'estomac. Le spiritualiste, devant la persistance des douleurs, lui expliqua ce qu'était le karma. Et le psychologue, non sans malice, lui demanda ce qu'il avait mal " digéré " dans cette vie présente !

« Perplexe devant ces multiples réponses, notre homme mit quelque temps avant de se rendre compte que la vérité est comme un diamant à plusieurs facettes : aucune d'elles n'est à rejeter, mais aucune ne peut rendre compte de toute la vérité : chacune de ces facettes n'est qu'un aspect extérieur de la vérité ; il ne peut y avoir de vérité qu'intérieure, et c'est à l'intérieur de lui-même qu'il posa la question : pourquoi ?

« Il y eut d'abord un long silence mais, après toutes ces épreuves, notre homme comprenait la nécessité de la patience. Puis vint une réponse :

" Tu veux savoir pourquoi tu es malade ? Cesse de te poser cette question et regarde les étoiles. Vois la beauté du ciel, c'est de là que tu viens. Chacun de nous vient ici accomplir quelque chose, selon la vérité qui est la sienne, et c'est cette vérité qui te libérera. Et cette faille dont tu souffres est comme une porte ouverte. Tu as entendu beaucoup de choses, et tu as beaucoup de connaissances, mais cette connaissance acquise par les oreilles ne te sera guère utile si tu n'ouvres pas les yeux, car la connaissance est ainsi faite qu'elle est d'abord entendue et ne devient conscience que lorsqu'elle est regard. "

« A ces mots, notre homme porta la main à ses yeux : cette paire de lunettes, il la portait depuis si longtemps qu'il ne s'en rendait plus compte, comme si cela faisait partie de lui-même. Vous devinez la suite : ce nouveau paysage fut une véritable révélation. Et pourtant, autour de lui, rien n'avait changé, rien, sauf dans sa façon de voir et de concevoir les choses, d'apprendre à utiliser ce qui autrefois était source de souffrance. Le Bien, le Beau, le Vrai nous attendent quelque part sur le chemin.

« Et Joël Bats, ce footballeur de l'Équipe de France que beaucoup connaissent, atteint lui-même d'une maladie grave, a dit :

" Vous pouvez vaincre la maladie, mais vous ne l'empêcherez pas de vous transformer. " »

Et une autre...

« Il aurait pu marcher longtemps ainsi, le long du chemin ensoleillé, cueillant à droite, à gauche, les fruits que la nature et la vie nous réservent. Mais, insensiblement, le jour déclinait sans qu'il s'en aperçoive, et il se trouva sans abri lorsque la nuit tomba. Il ne voyait plus rien, des ombres confuses et un chemin qui se perd dans l'obscurité.

« Il n'était pas tellement vêtu pour affronter le froid, et bien vite les heures devinrent interminables, tandis que la douleur le pénétrait. Il perdit même la notion du temps jusqu'à oublier que le jour existait. Tout dans ce paysage qu'il avait aimé devenait opaque et hostile, et avec la douleur, l'angoisse s'installait en lui. Qu'elle vous surprenne comme un crépuscule ou comme un orage, la maladie vous plonge dans un état où tout semble s'effacer, où nos projets et nos façons d'envisager la vie basculent dans un passé révolu, avec cette nécessité de vivre avec, tandis que la douleur nous devient familière.

« A mesure que la nuit devenait hostile, ses pensées erraient dans un monde sans forme, ses états d'âme allaient du désespoir à l'espoir et toutes les imaginations possibles, tandis qu'il découvrait, au fond de lui-même, cette petite voix qui lui demandait de tenir bon.

« Insensiblement, alors qu'il se croyait vaincu par ses angoisses et la douleur, il vit apparaître, à l'horizon, une lueur imperceptible, puis pâle : l'aube se levait et, avec elle, la promesse d'un jour nouveau. Il faisait froid mais cette lueur grandissait et son espérance avec elle. Et ce jour révélait de nouveau les choses comme elles sont, chacune à sa place, et l'ensemble, d'une grande beauté. Il n'était plus seul. Et c'est avec les yeux pleins de gratitude qu'il vit pointer le soleil à l'horizon, comme une bouffée d'amour qui inondait son cœur.

« Père, nous te remercions pour les choses comme elles sont et pour l'amour partagé. La nuit la plus longue n'a jamais empêché l'aube de renaître.

« Amis qui souffrez et qui avez perdu l'espoir, écoutez bien ceci : Insensiblement... C'EST DANS LA PROFONDEUR DE LA NUIT QUE LE JOUR SE LÈVE. »

Encore un exemple, qui montrera la diversité des textes :

« Le jour qui survint avait été annoncé il y a déjà longtemps, pourtant personne, à part quelques illuminés, ne l'attendait réellement, quoiqu'il fût inéluctable. On l'avait désigné, ce jour en question, sous le nom de Jugement dernier, le grand bilan ou sous d'autres appellations encore, selon les peuples et les pays. L'angoisse montait dans le cœur des hommes et des femmes qui savaient, par conviction intime, que ce jour était arrivé. En effet, une connaissance innée de cet événement s'était imposée à chaque être humain, sans que la parole ou l'information extérieure aient été nécessaires.

« L'un des hommes, comme chacun, se demanda avec appréhension, sinon avec terreur, qui allait le juger, avec quelle objectivité, quelle peine allait-on lui infliger, si peine il y avait. Il passa en revue dans son esprit les actes et pensées qui avaient animé sa vie. Il se rassura peu à peu : rien de méchant, rien qui puisse amener à une condamnation ; peut-être des broutilles, mais on en est tous là ! Il n'avait ni tué ni blessé personne et s'était comporté honnêtement dans son travail et avec sa famille. Il avait aimé sa femme et ses enfants. Il avait même versé plusieurs fois son obole lors de grandes catastrophes.

« Le moment arrivé, il le sentit venir quand il fut envahi par un étrange sentiment. Une perception particulière de son environnement qu'il découvrit avec étonnement, comme si son cadre familier lui était devenu étranger. Puis un voile se déchira devant ses yeux et il commença à comprendre qui était son juge.

« Les actes et les pensées qui avaient animé sa vie lui revinrent, mais sous un éclairage différent : ne rien faire de mal, n'est-ce pas synonyme de ne pas faire le bien ? Ne vaut-il pas mieux faire le mal " par erreur ou par accident " que de ne rien faire du tout par lâcheté ou indifférence ? Les choses évoluèrent encore et il reconnut son juge : c'était lui-même qui s'examinait avec une redoutable lucidité, sans complaisance et avec l'acuité de celui qui ne peut plus se tromper lui-même. A partir de là, les choses allèrent vite ; il se jugea totalement avec son âme et sa conscience nues, sans l'écran de son ego. La peine qu'il commença d'encourir était celle de l'intolérable souffrance engendréc par la lucidité suprême.

« Cette peine, il sut qu'il devait en fixer lui-même les limites de durée et d'intensité ; si bien qu'il ne fut prisonnier que de par sa propre volonté. Ce sentiment lui donna une sensation particulière, cellc d'être à la fois prisonnier et son propre geôlier, ce qui lui laissa un espace d'espoir et de liberté.

« Le jour où il découvrit, bien des siècles plus tard, que la clé de la libération était la conviction intime d'une vérité première, il comprit qu'il était entré dans la phase préliminaire d'une préparation. Plus tard encore, il sut que cette clé pouvait se résumer en une seule conviction : celle que chacun est concerné par le respect de l'homme et que chacun doit apporter sa contribution à ce principe. Il sut enfin qu'il était libéré et il put prendre place parmi les humains sans garder le souvenir de son épreuve, dans son esprit. Elle fut cependant immédiatement gravée dans son âme. »

Celle-ci sera la dernière lecture que je puisse citer ici :

« Silence, Silence, Silence
« Fermons nos oreilles, n'écoutons pas les bruits extérieurs, devenons silence.

155

« Nuit, Nuit, Nuit

« Fermons nos yeux, ne regardons pas les images du monde. Devenons Nuit.

« Paix, Paix, Paix

« Fermons notre esprit aux pensées négatives. Gommons pour un moment soucis, difficultés, peines, chagrins, révoltes, rancunes, colères. Ne pensons pas à l'avenir, il n'existe pas. Il n'est que le présent de demain, et demain ne nous appartient pas. Pourquoi s'en angoisser ? Maintenant en nous, tout est silence, calme, sérénité. Ouvrons largement les sens de notre âme qui ne captent rien de la matière, mais tout ce qui se passe au plus profond de nous, même là où gît le merveilleux mystère de Dieu, comme un petit atome au creux de notre être véritable et éternel.

« De même que l'homme a su fissurer l'atome de matière, libérant une phénoménale énergie de destruction, de même nous pouvons fissurer ce petit rien qui nous fait à l'image et à la ressemblance de Dieu. C'est alors la vague gigantesque d'Amour, de Paix, de Force, de Perfection que nous libérerons et qui est fleuve de vie, eau transparente et pure, débordante de joie, de santé, de bonheur.

« Si chaque homme prenait conscience de cette présence vivante et immuablement fidèle, le monde cesserait d'être violent, injuste et cruel. Il serait régénéré dans la lumineuse beauté de Dieu. C'est cela le bouleversant destin de l'humanité, si seulement chaque homme voulait bien, pour quelques instants, accepter d'entrer dans le Silence, la Nuit, la Paix. »

Jacques Max était un scientifique, qui travaillait à Grenoble et écrivait dans des revues médicales et scientifiques. Il appartenait à notre groupe depuis quelques années, avec sa femme, médecin, et leur petite fille. J'aimais Jacques qui plaisantait toujours. Fidèle parmi les fidèles, il ne manquait jamais une réunion, sauf en cas de force majeure.

Depuis un certain temps déjà, je lui demandais de nous écrire une lecture. Il se faisait un peu tirer l'oreille. Puis un jour il me dit : « Ça y est, ma belle, je l'ai écrite ! » Il m'appelait toujours « ma belle » avec son accent chantant et ça me faisait bien rire !

Il a lu lui-même son texte sur l'écoute.

Quelques mois plus tard, victime d'une rupture d'anévrisme, Jacques est mort brutalement. Sa femme a eu l'immense courage de lire à l'église ces lignes, le jour de son enterrement.

Jacques, qui aimait tant la vie, les siens, nous a quittés brusquement, « en apparence », mais je sais bien, moi, qu'à chaque réunion Jacques est là, avec nos médecins du ciel, pour nous venir en aide.

En hommage à Jacques Max, voici ce très beau texte qu'il a écrit pour nous, pour vous tous...

« Lorsque Salomon a demandé à Dieu la sagesse
Dieu lui a donné UN CŒUR QUI ÉCOUTE.

« Que sommes-nous ? Un cœur qui écoute ou des oreilles qui entendent, ou bien une bouche qui parle ?

« C'est lorsque je l'écoute que l'autre existe,
Il a besoin de mon écoute pour se savoir exister
J'existe quand tu m'écoutes.

« Écouter avec le cœur, plus qu'avec la raison

« Le cœur qui écoute sait qu'il va découvrir quelque chose de neuf, même chez quelqu'un qu'il connaît depuis très longtemps.

« La raison risque de dire : à quoi bon, je le connais, je sais ce qu'il va me dire.

Écouter pour connaître
Connaître pour aimer
Écouter parce que l'on aime
Écouter pour aimer
Écouter : s'il se sait écouté, l'autre parle
En parlant, il se libère
Libération par la parole, libération par l'écoute, libération car la parole est écoutée.
L'écoute : une relation privilégiée.
Avec l'autre,
Avec la nature
Avec la conscience universelle
Avec Dieu
Écouter avec le cœur, avec les yeux, avec tout moi-même
Écouter sans rien faire d'autre
Écouter : c'est une occupation qui me mobilise entièrement.

« Deux de mes grands enfants, dans la difficulté, à quelques années d'intervalle, venaient me voir fréquemment : " Toi, tu nous écoutes, tu ne nous donnes pas de conseils ", disaient-ils. Et eux, libérés par la parole écoutée, ont trouvé seuls ce qu'ils devaient faire.

« Le chercheur est à l'écoute de l'univers, de tout l'univers, matière est esprit, toujours prêt à remettre en question les théories élaborées avec tant de peine.

« Le scientifique qui rejette un fait qu'il ne sait pas expliquer n'écoute pas l'univers, il n'écoute pas la conscience universelle, il n'écoute pas Dieu, il n'écoute que lui-même.

LECTURES POUR LES GROUPES

« L'enseignant est à l'écoute de ces autres qu'il enseigne car

« Aucun homme ne peut rien vous révéler sinon ce qui demeure à demi enfoui dans l'aube de votre connaissance, a dit Khalil Gibran.

« Écouter au-delà des mots (qui peuvent nous irriter), écouter au-delà du langage (qui peut être parfois difficile à comprendre), écouter avec le cœur.

« Prier, ne serait-ce pas écouter Dieu, bien plus que parler à Dieu ? »

LES SIGNES DU CIEL

Coïncidence ou signe, il n'est pas toujours facile de trancher. Ainsi, le fait que Jacques Max ait fini par écrire cette lecture que nous lui réclamions depuis longtemps, et ce quelques mois avant sa mort, et que son message ait ainsi plus de poids pour nous tous, peut passer pour une coïncidence... ou pour la volonté du ciel de le « presser » un peu.

Le ciel et la terre sont reliés par mille fils invisibles que tissent l'amour et la prière. Souvent, des phénomènes, infimes ou puissants, viennent emplir notre âme d'espérance ou nous placer face à des évidences incontestables.

Qui, dans sa vie, n'a pas reçu l'un de ces clins d'œil du ciel ?

Ces petits signes, pour être « recevables », doivent être naturels et spontanés. Ne demandez jamais à un médium professionnel de vous aider (il captera peut-être vos désirs, vos espoirs ou vos angoisses) et surtout aucun rite, aucune magie, aucune technique ne peuvent être conseillés dans ce domaine. Si vous désirez vraiment entrer en contact avec l'invisible vous y arriverez sans doute, mais si vous voulez « forcer » les choses, vous risquez de le payer très cher. L'au-delà n'est pas seulement peuplé d'anges et de saints : la prudence est essentielle. Que faire alors ?

Je me permettrai ici de vous donner de tout petits conseils mais, avant cela, je vous rappellerai l'histoire du brigand qui va vivre auprès d'un saint homme, dans un ashram, pour apprendre ses « trucs » afin de duper aisément ses victimes. Il a appris les « trucs » mais n'a plus jamais eu envie de les utiliser. Il est devenu un saint !

« Je reconnais, comme le dit mon ami Alain Guillo, que j'étais un mécréant, un petit signe du ciel peut ouvrir une porte. »

Alain Guillo est ce journaliste de télévision parti pour Kaboul faire un reportage et transformé en otage pendant neuf mois, interrogé tous les jours, huit heures par jour par des équipes tournantes, jamais les mêmes, dans le but de lui faire avouer qu'il était un espion.

Pendant tout ce temps, il n'a reçu aucune nouvelle de France, aucune nouvelle des siens ; il ne savait pas, comme tous les otages, s'il serait libéré un jour... vivant.

Il a vécu là-bas une expérience spirituelle extraordinaire — qu'il a racontée dans un ouvrage paru chez R. Laffont[1]. Il a entendu des voix. Tout d'abord, il a cru qu'il captait par télépathie celles des siens. Tout au début. Puis très vite il s'est rendu compte que ces voix venaient « du ciel », que c'étaient celles des morts.

Ces voix l'ont soutenu pendant tout le temps de sa captivité. Ce livre qu'il a publié, *Un grain de sable dans la machine,* retrace les moments de doute, où il a cru

---

1. Il vient d'en publier un autre beaucoup plus beau encore, aux éditions Robert Laffont : *A l'adresse de ceux qui cherchent.*

sombrer dans la folie, les moments d'exaltation et d'espoir qu'il a dus à ces voix.

Si votre évolution vous accorde des vibrations plus rapides, plus spiritualisées, vous découvrirez qu'il ne vous est pas impossible d'établir un dialogue avec votre guide, votre ange gardien, votre maître intérieur... peu importe le nom que vous lui donnerez. Par exemple, lorsqu'un problème vous tracasse, que vous ne trouvez pas de réponse ou de solution, demandez à Dieu de vous éclairer et qu'il permette à votre guide de vous éclairer. Priez avec ferveur plusieurs jours de suite, avec foi : je serais étonnée que d'une façon ou d'une autre vous ne receviez pas un petit signe qui vous apportera la réponse.

Comment atteindre l'évolution nécessaire qui permette cela ? Pendant des années, les médecins du ciel me l'ont répété : « Prenez conscience de vos actes, de tous vos actes, *ayez l'acte juste.* » Il faut passer plusieurs portes : « Passez par ces portes nécessaires à tout homme, pour sa purification. La porte du dépouillement. » Si vous n'êtes pas capable de donner de votre nécessaire — je dis bien nécessaire et non superflu —, n'allez pas plus loin. La porte de la tolérance. Ne jugez jamais, ne condamnez pas celui qui est différent et ne pense pas comme vous.

On n'apprend pas de « techniques » dans les hautes sphères de la spiritualité, pour grandir un peu ; mais on doit être attentif à soi-même. « Marche ton chemin, sois fidèle à toi-même, regarde autour de toi, ouvre ton cœur et parfois tes mains »... alors commencera peut-être une histoire d'amour dont vous pourrez lire tous les détails dans un livre, vieux de deux mille ans et qu'on appelle les Évangiles.

Bien souvent, cependant, ces clins d'œil du ciel se

manifestent sans qu'on les attende le moins du monde. Je vais vous en relater quelques-uns.

Lorsque *Médecins du ciel, Médecins de la terre* a été édité, mon éditeur m'a demandé des photos. Je les ai fait faire à Grenoble, chez un photographe, devant un rideau de tissu beige orangé. Une dizaine de tirages ont été réalisés. J'ai envoyé ces photos à mon amie Joëlle de Gravelaine qui en a choisi une. Sans rien remarquer de particulier. Mais regardez bien la photo, en quatrième de couverture du livre : derrière moi apparaît une image nuageuse, avec une partie de visage. C'est un lecteur qui l'a remarqué le premier et qui en a été si bouleversé qu'il l'a signalé à J. de Gravelaine. On a alors demandé un agrandissement et il a révélé une partie de la silhouette d'Etty, avec la coiffure qui correspond parfaitement à une photo prise en 1943-1944 et que sa maman m'avait donnée. Lorsque j'ai vu l'agrandissement pour la première fois, j'ai failli m'évanouir, tant le « signe » était évident, et comme si Etty avait voulu me rappeler que c'était là « notre » livre...

Parmi les liens invisibles qui se tissent entre le ciel et la terre mais parfois aussi entre humains, en ce monde, il en est dont nous n'avons pas immédiatement l'explication.

Ainsi, un après-midi où j'étais seule, j'ai été saisie d'une vague d'angoisse, d'une tristesse infinie, sans savoir pourquoi. De nature très gaie, je ne comprenais rien à cet état soudain. Cela se passait pendant la guerre d'Indochine, bien avant mon premier contact avec le sur-monde. Pendant quelques instants, j'ai prié, élevant ma pensée, offrant cette tristesse à Dieu. Puis tout est redevenu normal.

Des années plus tard, j'ai reçu de Mamie l'explication du phénomène. « Ce jour-là, me dit-elle, un petit soldat français mourait tout seul, dans une rizière, loin de son pays natal, loin de ses parents, submergé par une terrible angoisse. Les fils invisibles qui relient parfois les êtres ont fait que tu as capté cette angoisse. Heureusement, tu as prié et, par le même chemin, ta prière lui a été portée. Il est mort dans la paix... »

Un exemple de plus qui prouve l'importance de la prière, gratuite et spontanée. Nous ignorons le chemin qu'elle prend, mais Dieu sait ce qu'il convient d'en faire. Il ne nous appartient pas d'en décider !

Lorsque nous sommes fatigués ou anxieux, certaines perturbations peuvent se produire et nous pouvons connaître des expériences bizarres, une ou deux fois dans notre vie, sans que pour autant on se prenne pour un grand médium ! Je connais beaucoup d'histoires comme celle qui suit, mais jugez-en plutôt vous-même :

« Je suis africaine. Il m'est arrivé quelque chose d'étrange. Un jour où je récitais mon chapelet (je suis catholique), j'ai entendu une voix en moi ; c'était celle d'un ami mort depuis deux ans. Il me demandait de faire dire des messes. A partir de ce moment-là, une voix intérieure m'a poussé à écrire. J'ai donc écrit plus de deux cents pages, dirigée par cette voix. Ces pages constituent une nourriture spirituelle que j'ai montrée à des prêtres et ils m'ont affirmé que c'était bien. Seulement voilà, depuis ces événements, nous avons beaucoup d'ennuis de toute sorte. Nous avons fait faillite, nous sommes ruinés, endettés ; nous ne trouvons pas de travail, nous avons même failli divorcer, etc. A croire que des forces se liguent contre nous. Nous ne savons plus que faire et pensons au suicide. Tout est bouché, fini, nous sommes fichus ! »

Prier, prier..., il n'y a pas d'autre issue. De très

nombreuses personnes ont vécu de telles expériences. Il faut être extrêmement prudent. Il existe en tout être un désir, même inconscient, de communiquer avec l'invisible, et c'est excessivement dangereux. Si vous vous lancez en pleine mer sans savoir nager, vous allez droit à la noyade ! Si le désir d'entrer en contact est très fort, il peut vous permettre de contacter des êtres qui, dans l'invisible, sont à l'affût de ce genre de choses ; ils sont très rusés et après vous avoir séduit par un très beau langage, des actes désespérants s'ensuivent. Pourquoi pensez-vous que nos médecins du ciel nous ont imposé dix ans de silence total et qu'Etty a encore exigé quinze ans ? Parce qu'on reconnaît l'arbre à ses fruits. Un médium doit passer par une initiation, qui n'est autre que le don de soi quotidien. Si nous n'avions, Daniel et moi, recueilli et élevé tant d'enfants, contraints de nous dépouiller de tout, je suis persuadée que rien ne serait arrivé.

Par ailleurs, les vibrations d'un médium doivent s'élever pour fusionner avec un être de lumière. Une discipline très dure est à respecter. Souvenez-vous de ce qui nous a été demandé : l'abandon de nos situations, la promesse de ne jamais nous enrichir, la consécration de tout notre temps à cette vie nouvelle. Daniel n'a jamais demandé un sou à personne, et ce don sacré, il n'a pu en user que pour les autres, dans la prière et le silence, au service de nos amis du ciel ou des malades, jamais au nôtre.

J'ai connu une jeune femme qui a reçu des messages magnifiques. Puis un virage s'est opéré subtilement. On lui a prédit beaucoup de bonheur, des dons merveilleux, pour finalement lui demander de kidnapper un enfant handicapé pour le rendre « guéri » à ses parents, cela, pour bien prouver ses dons. La pauvre a obéi. La police est venue l'arrêter et elle termine sa vie dans un asile psychiatrique! Je ne prêcherai jamais assez la prudence, n'est-ce pas!

Avant les vacances, une jeune femme me téléphone. Une guérisseuse, voyante, médium, etc. qu'elle était allée consulter lui a prédit un grave accident. Son mari risquait la mort si elle partait en vacances. Elle avait loué une maison dans le Midi et, affolée, elle me demande mon avis. Je lui réponds qu'un soi-disant médium ne peut être tout à la fois, et que si elle avait payé une forte somme pour entendre ces sottises, elle n'avait que ce qu'elle méritait! Un peu de bon sens s'impose...

Cette histoire, venue d'Espagne et racontée par son héros, nous montre bien que les signes du ciel ne sont pas toujours bien compris ni interprétés comme il se devrait.

« Je présidais un groupe d'étude et de travail dans le domaine de la métaphysique. Une jeune femme médecin y travaillait aussi. Un jour, un voyage en Israël et en Égypte fut organisé. Pendant ce voyage, l'amie médecin fit connaissance d'un guide touristique juif avec lequel elle voulut avoir un enfant. Il s'appelle Juan. Ses relations avec lui ne furent pas longues et une fille est née de ces amours. Le septième jour après sa naissance, et par l'exprès désir de ses parents, une cérémonie intime fut organisée pour accueillir l'enfant dans ce monde. Mon épouse et moi fûmes invités pour présider la cérémonie, avec une amie médecin, le frère de la mère, et les parents. Après avoir brûlé un peu d'encens, nous allumâmes une bougie et fîmes l'offrande de l'aide au nouveau-né. Nous priâmes pour elle, et nos vœux avaient pour but de souhaiter à la petite un séjour heureux parmi les hommes. Les parents avaient décidé de l'appeler Diana Gabriela.

« Après la cérémonie et devant le feu de cheminée, un dîner frugal fut servi ; vers minuit nous étions au lit. Normalement, je dors très bien et rêve peu, ou du moins je ne m'en souviens guère ; mais cette nuit-là fut très spéciale. Je suis resté en état de demi-sommeil très longtemps. Jamais je ne me réveille sans réveille-matin mais ce jour-là, à l'aube, je me rendis compte que je scrais incapable de déchiffrer tous mes rêves ! La seule chose que j'avais retenue, c'était que j'avais contemplé une grande foule très intéressée par son travail, je nc sais pas ce que faisaient tous ces gens qui étaient sur une esplanade. Tout était brouillé et confus. Je me suis levé et, pendant le petit déjeuner, je n'arrivais pas à me soustraire à ce rêve étrange, mais jamais ne m'est venue l'idée de faire la liaison avec les événements de la nuit précédente. J'ai marché à pied jusqu'à mon bureau, le long de la rue qui va au bord de la mer, près de la cathédrale. Le rêve ne me laissait pas " libre ". Au bureau, j'ai pris un papier et j'ai écrit vingt-trois phrases en deux ou trois minutes. Ce sont celles qui désignent chaque chapitre du livre que je vous joins. Ensuite, je l'oubliai dans le fond de mon portefeuille qui est mon " bureau portatif ".

« J'ai l'habitude de lire le soir, au lit. Alors ce soir-là, j'ai pensé soudain au récit et je l'ai lu à haute voix à ma femme Dolorès. Il me parut encore plus étrange. Ce papier me poursuivait partout, pendant des journées entières, jusqu'au moment où je me suis rendu compte que je devais développer ce récit car il y avait là matière à un petit livre. Les vacances de Noël 1987 arrivèrent. J'y travaillais lorsque soudain je compris ce que je faisais, après dix ou douze jours de rêve : j'étais en train d'écrire un essai sur la guérison spirituelle... que je n'ai jamais pratiquée ! C'était plutôt une dictée qu'un écrit de moi-même. C'est cela qui m'a amené à établir le lien avec Diana Gabriela, car la mère et sa meilleure amie étaient médecins. Alors, j'ai eu un frisson. Je n'ai plus hésité et ces pages furent transformées en un ouvrage dédié à Diana. Curieusement, l'édition du livre fut immédiatement acceptée par l'éditeur Siriu de Malaga. Le nom de son auteur, Toni Benassar, fut imprimé avec une erreur, sur les couvertures, et transformé en Ioni Benassar. Il fallut refaire les couvertures. Lorsque je reçus mes exemplaires d'auteur — et les livres étaient déjà en vente —, je fus stupéfait ! L'imprimeur de Malaga avait commis la même erreur que celui de Barcelone ! Les pages intérieures, comme vous le voyez, portaient aussi le nom de Ioni Benassar. L'éditeur me présenta ses excuses dans une longue lettre. Il ne comprenait rien car sur l'original le nom était bien libellé. Je me demande qui est Ioni Benassar ? L'auteur du livre, évidemment. Le temps passe et d'étranges événements se produisent.

« Il y a six mois, la maman de Diana nous a téléphoné pour nous demander d'aller à l'hôpital voir la petite qui était souffrante. On avait diagnostiqué un lymphome. Cela signifiait une chimiothérapie. Au début, je refusai d'y croire.

« Des amis du centre d'études métaphysiques de Palma m'avaient apporté des cendres (*vibuti*) de l'ashram de Satya Sai Baba en Inde. C'est un gourou très renommé par ses prodiges. J'ai profité de ma visite à l'hôpital pour appliquer un peu de cendres sur l'enfant. Sa mère était catastrophée et nous priâmes ensemble. Nous ne comprenions rien. Peu de temps après, sa mère me faisait savoir qu'elle partait en Inde voir Sai Baba avec l'amie médecin et un autre ami.

« Heureusement, Sai Baba les accueillit en privé, en leur disant que la petite était sauvée et qu'ils ne devaient rien craindre. La mère verrait grandir son enfant et ils allaient en avoir une preuve. Ils devaient arrêter le traitement à l'hôpital. Ils étaient ravis. Mais après quelques semaines, la petite a fait une rechute et une leucémie fut diagnostiquée, en plus du lymphome. Un télégramme fut envoyé à Sai Baba avec la nouvelle... Actuellement, la mère commence à se résigner et l'enfant a repris sa chimiothérapie à l'hôpital de Palma. Autour d'elle règne une grande confusion. »

Cette triste expérience vous aidera peut-être à réfléchir... Mais n'arrêtez jamais le traitement d'une maladie grave, même si un gourou indien vous le demande !

Le dernier gros malade, un jeune homme, qui est parti auprès d'un saint homme, dans un ashram, pour guérir, est en ce moment en train de mourir à l'hôpital. Il a vingt-deux ans...

Les voies du Seigneur sont impénétrables... Voici une brève histoire qui vous le prouvera. Le jour de l'an 1990 était un dimanche. Marcelle me téléphone, inondée de joie, et me raconte :

« Maguy, il y a quatre ans, j'ai perdu mon fils unique ; quinze jours avant son mariage. Tout était prêt, les cadeaux, la robe de mariée, etc. Le coup a été terrible pour moi mais, profondément croyante, je n'ai pas perdu la foi. En revanche, la fiancée de mon fils, profondément traumatisée, a rejeté Dieu et tout forme de prière. Elle a été complètement révoltée. Le jour même du premier de l'an, elle lisait votre livre que je lui avais offert. Parvenue au chapitre sur la mort, elle a

169

pensé à son fiancé et dit à haute voix : " Si c'est vrai, si tu es vivant quelque part, fais-moi un signe ! "

« A ce moment précis, sa chaîne de baptême tombe sur le livre qu'elle avait sur les genoux, les deux fermoirs grands ouverts. Elle s'est levée et a dit : " Je crois. " Et aussitôt elle est partie pour la messe, puis elle est venue me voir en me racontant l'histoire : " Maman, devinez d'où je viens ! De la messe ! " »

Voici enfin un témoignage, celui d'une maman et de son fils trisomique 21, autrement dit mongolien.

« Ce que peuvent nous apporter ces " enfants d'ailleurs », je l'avais déjà vécu dans une famille à Orléans. Ces enfants-là, dont personne ne voulait, ont été adoptés. Dans un climat d'amour authentique ils peuvent avoir des réactions étranges et pleines d'enseignement pour qui veut les comprendre.

« Il s'agit de Pierre, " mon enfant de lumière " comme tu le dis toujours, Maguy. Il m'a fallu des années pour admettre qu'il n'était pas comme les autres et qu'il n'est pas venu sur cette terre pour rien. J'ai compris qu'il était venu pour nous faire avancer, son père, moi et tous nos proches. Voilà ce qu'il m'a été donné de vivre par lui.

« Depuis pas mal de temps (quelques mois), il me demandait de mettre mes mains au-dessus de lui. " J'aime bien, dit-il, c'est chaud. " Cela me fait un peu drôle, mais j'acceptai parce que ce geste le calmait, lui faisait du bien. Un jour, je l'interroge à brûle-pourpoint : " A quoi penses-tu quand je mets mes mains comme ça ? " Réponse, plusieurs fois : " A Jean de la Lune ". Cela m'intrigua évidemment, et un jour on me dit : " Faites ce qu'il demande ; mettez vos mains et essayez, à ce moment-là, de parler avec lui. " J'ai été

170

surprise mais décidée à essayer, et voici ce qui s'est passé. Pierre est allongé sur son lit, je vais l'embrasser. Il insiste pour que je mette mes mains sur lui ; je n'en avais pas envie, pressée ce jour-là, mais j'ai pensé à ce qui m'avait été conseillé, et je l'ai fait. Au bout d'un instant, je le questionne :

— Tu es bien ?

Signe de tête affirmatif.

— Tu vois quelque chose ?

Signe affirmatif, et avec son doigt il dessine un rond. Un vif dialogue s'instaure.

La maman — Qu'est-ce que c'est ?

Pierre — Le soleil.

M. — Ah bon ! Est-ce que tu vois autre chose ?

Nouveau signe affirmatif, et il dessine encore un rond.

P. — La lune.

Au bout d'un moment...

M. — Vois-tu autre chose ?

P. — Des gens.

M. — Comment sont ces gens ?

Pierre se lève, les yeux fermés et élève sa main.

P.— Ils sont grands comme ça !

M. — Ont-ils une couleur ?

P. — Oui, ils sont blancs. (Et il se rallonge.)

Je suis très étonnée mais décide de poursuivre, devenue curieuse et avec une espèce d'intuition que quelque chose de très fort se passe.

M. — Tu les connais, Pierre, ces gens ?

Sa main trace ceci : une croix.

M. — Cette croix, est-ce la croix de Jésus ?

Signe de tête affirmatif.

M. — Mais qu'est-ce que ça veut dire ? Ce sont des gens qui sont morts ?

171

Nouveau signe affirmatif.

M. — Pierre, connais-tu ces gens ?

Signe de tête négatif, cette fois.

Tu imagines, Maguy ! Le temps était comme suspendu, la sensation, inimaginable...

M. — Vois-tu encore quelque chose ?

P. — Oui.

M. — Quoi ?

P. — Jésus-Christ.

M. — Où vois-tu Jésus-Christ ?

P. — Dans le soleil, ça brille, oui, dans le soleil, il y a Jésus-Christ.

M. — Tu aimes voir toutes ces choses ? Tu es bien ?

P. — Oh, oui !

« Et il n'a plus parlé... Petit à petit, tout est redevenu normal.

« Maguy, je t'assure que je ne délire pas. Cette expérience a été unique. Tous ces phénomènes, on les lit, ils sont décrits dans certains livres, mais mon Pierre, enfant trisomique 21, lui, n'a jamais lu ni entendu parler de cela. Il ne pourra jamais atteindre ce niveau de lecture, trop complexe pour lui. On ne peut l'accuser de fabuler, d'inventer, tout cela est trop fort, trop juste pour avoir été inventé, même par un enfant normal de cet âge-là.

« Voilà ce qu'il m'a été donné de vivre il y a deux mois. J'ai hésité à t'écrire, puis je me suis dit que, me connaissant, tu ne pouvais pas ne pas me croire. »

Eh oui ! Pourquoi ces enfants n'auraient-ils pas quelque chose à nous apporter, à nous apprendre... dès lors que nous voulons bien ouvrir nos yeux, nos oreilles et notre cœur à leur message ?

Un enfant qui prie, c'est parfois bouleversant, tant il semble évident que les enfants prient tout naturelle-

172

ment, avec simplicité. Et dans nos groupes de prière, ils ne sont sûrement pas les moins efficaces !

A partir de cet émouvant récit, il serait bon de donner ici quelques précisions sur ce que sont exactement nos réunions de prière. On me pose souvent la question : des milliers de gens qui prient, à 20 h 30, pourquoi ? Comment est née cette fervente chaîne d'amour et de prière, qui nous lie les uns aux autres ?

20 h 30, tout simplement parce que c'est une heure qui convient à nombre de personnes. Chacun est en principe rentré de sa journée de travail, les informations sont terminées à la télévision, et il est plus facile d'éteindre le poste tout de suite après. Au début, nous n'étions qu'une dizaine, et notre guide nous avait demandé de choisir une heure où nous nous réunirions par la pensée et la prière pour nos malades.

Cette prière a été reprise par bien des hommes et des femmes, dans de très nombreux pays. Nous la faisons partout où nous passons, au cours de nos conférences. Mais des journalistes l'ont répandue, et elle a depuis longtemps traversé toutes les frontières.

Si vous avez près de vous un malade, groupez-vous autour de lui à *20 h 30;* pendant une ou deux minutes — cela suffit —, élevez votre pensée vers Dieu, quelle que soit votre religion, et priez pour lui, avec lui s'il le peut. De cette façon vous le « branchez » sur notre immense chaîne de prière. Vous serez peut-être très étonné du résultat !

Et surtout ne me demandez pas, comme certains qui n'ont rien compris : « Nous voudrions savoir, Maguy, sur quelle chaîne vous vous branchez, la 1 ou la 2 ? » Ah, cette télé !...

RÉINCARNATION ET RÉGRESSIONS

Sur ce thème, une mise au point s'imposait et je tiens ici à la développer, à la suite du très abondant courrier que j'ai reçu et des questions qui m'ont été posées.

Voici le type de lettres, par exemple, que j'ai retenues et qui m'aiderait à la faire.

« Je viens de lire votre ouvrage et bien des questions se posent à moi. Est-il possible qu'une personne de notre entourage qui nous veut du mal puisse nous détruire ? Le fait de remonter les vies antérieures, aidé par un grand spécialiste, peut-il nous aider à résoudre nos problèmes et changer notre vie ? J'ai, au cours d'une régression de mes vies, appris que j'avais été tué dans une entreprise par mes ouvriers. Je n'ai plus envie de continuer et de progresser dans mon travail car, depuis, l'angoisse ne me quitte pas. »

Les médecins du ciel répondent, en pareil cas :

« Pour que l'ennemi entre dans votre maison, il faut laisser les portes ouvertes. Si un être humain prie et se conduit le mieux possible, la prière est un rempart et les vibrations spirituelles protègent l'homme. »

Nul ne peut nous atteindre si nous sommes forts, si nous prenons appui sur le divin : les mauvaises inten-

174

tions rebondissent alors sur nous comme sur un mur...
et reviennent en boomerang à l'envoyeur.

La deuxième question est plus délicate. Si Dieu
voulait nous laisser le souvenir de nos vies antérieures,
nous nous en souviendrions.

Les fautes et les erreurs commises en cette vie-ci
pèsent déjà suffisamment lourd sans qu'il soit utile à
notre évolution de nous encombrer de celles et de ceux
du passé.

Il m'est arrivé de rencontrer de très nombreux êtres
simples, pas très équilibrés, impressionnables ou
influençables, complètement déboussolés par des
régressions de vies antérieures, ou par des consultations
d'astrologie dite karmique. Ceux qui procèdent à ces
descriptions plus ou moins terrifiantes et culpabilisantes
qu'ils jettent à la tête du malheureux venu chercher une
réponse auraient-ils des comptes à régler avec leurs
semblables ? On peut sincèrement se poser la question
lorsqu'on entend des jeunes femmes effondrées vous
dire : « On m'a affirmé que si mon enfant était malade,
c'est parce que dans ma dernière vie j'avais tué le
mien ! »

De plus, nul ne peut jamais être absolument sûr de ce
qui est revécu ou rencontré au cours de ces expériences.
Quelle est, dans tout cela, la part de fantasme, d'imagi-
naire, de désirs inconscients ou d'angoisses secrètes ?

Si le travail sur les vies antérieures est pour certains
un outil thérapeutique, il est dangereux de le mettre
entre toutes les mains !

Quand j'ai découvert la réincarnation, j'ai été,
comme beaucoup, enthousiasmée, convaincue. Mais
j'ai, depuis quatre ans, reçu tant de confidences extra-
vagantes ou tragiques que je ne suis plus du tout
certaine que ce soit aussi simple ni même qu'on ait

compris, le plus souvent, ce que la théorie de la réincarnation recouvrait.

Mais ce dont je suis absolument sûre, c'est du mal qu'on peut faire en assenant certaines pseudo-vérités à des êtres vulnérables, et qu'il est criminel de s'y livrer.

Ainsi Jean, qui est venu me voir, atteint d'une maladie grave, invalidante. Il est père de trois enfants et souffre tant qu'il est décidé à tout, c'est-à-dire à tenter n'importe quoi. Tous les médecins spécialistes consultés en France, en Allemagne, aux États-Unis avaient baissé les bras.

Il était jeune, beau, intelligent et son regard si émouvant que j'ai commencé à le traiter ; en cabinet tout d'abord puis, pendant deux ans environ, au sein du groupe, afin qu'il bénéficie de l'apport de tous.

Peu à peu son état s'est amélioré et Jean a repris une vie presque normale. Il habitait très loin de Grenoble et, pendant quelques années, je ne l'ai plus revu. Son retour vers nous, désespéré par une rechute, nous a terriblement surpris. Que s'était-il passé ?

Jean, entraîné par des amis, après une difficulté personnelle comme nous en rencontrons tous beaucoup dans notre vie, était allé voir une « astrologue karmique ». Cette dernière lui a annoncé tout de go qu'il était la réincarnation d'un SS, que tous ses ennuis étaient mérités puisqu'il payait son passé, qu'il était très néfaste pour ses enfants, « pompait leur énergie », etc., et qu'il fallait qu'il s'en éloigne !

Jean, fragile, choqué, a rechuté immédiatement.

Qu'est-ce que cette personne pensait lui apporter en lui assenant cette révélation que rien (cela m'a été de surcroît confirmé par une astrologue sérieuse) ne lui permettait de faire de façon péremptoire ? En quoi pensait-elle lui être utile ? Est-ce ce genre de « prise de conscience » qui peut aider un être à surmonter sa souffrance et sa maladie ? Par pitié, que ceux qui pratiquent ce genre de travail réfléchissent à deux fois avant de matraquer ainsi leur prochain !

Aider à une prise de conscience, oui ! A condition que l'être auquel on s'adresse puisse en faire quelque chose de positif, de réparateur. Assurément non, si c'est pour l'enfermer dans un destin inéluctable !

J'ai par ailleurs la conviction que Dieu ne se livre pas à ces mesquines comptabilités ! Ce que je dis ici n'engage que moi, bien sûr, et j'en assume l'entière responsabilité...

La mode actuelle des « thérapies par régression » est dangereuse. Beaucoup de malades ou de curieux se demandent qui ils étaient avant cette vie. Ils ont des ennuis et pensent que, peut-être, en en connaissant la cause — qu'ils font remonter au déluge et non à certaines erreurs évidentes dans cette existence —, ils en assumeront mieux les conséquences. D'un autre côté, bien des soi-disant thérapeutes, après quelques stages de « formation », se mettent à exercer une soi-disant profession qui leur permet d'utiliser un certain pouvoir — avec lequel ils sont rarement au clair — et, surtout, de gagner beaucoup d'argent. C'est une catastrophe !

J'ai parlé, dans *Médecins du ciel, Médecins de la terre* de certaines expériences, de phénomènes où, cela ne fait pour moi aucun doute, certains êtres ont vécu plusieurs vies terrestres. J'en suis toujours parfaitement convaincue. Vivre sur la terre trois jours, trois mois, trois ans ou trois cents ans, dans les siècles passés ou dans les siècles à venir, ne dure de toute façon pas plus qu'un éclair, face à l'éternité... De fait, cette croyance en la réincarnation est à mes yeux très secondaire. Ce qui importe n'est pas le passé : ce sont nos actes d'aujourd'hui, la réalité des actes de notre vie, « ici et maintenant », qui prépare notre futur. La pensée de revenir sur terre, par exemple, d'y faire son purgatoire, ne me gêne pas du tout par rapport à la croyance en Jésus, en l'Évangile. Il faut bien, après tout, faire son purgatoire quelque part.

Si j'ai mentionné quelques cas vécus autour de moi, c'est bien parce qu'ils étaient exceptionnels et que mes guides spirituels, pour des raisons graves, me les avaient dévoilés...

Mais je comprends mal, je ne comprends pas, cette soif de savoir à tout prix ce que Dieu ne nous permet pas de connaître. Si le souvenir pouvait aider, Dieu nous l'aurait laissé... Dans sa sagesse, il nous a libérés de ce fardeau. Pourquoi, mais pourquoi forcer les portes ?

Etty dit souvent : « Si tu pèses vingt-cinq kilos, tu ne peux en porter cent. »

Si j'avais deviné que ce problème de réincarnation soulevait tant de polémiques et opérait tant de dégâts chez certains malades, j'avoue que je me serais bien gardée d'en parler ! C'est un problème si peu important, tellement secondaire par rapport à tout ce qui est attendu de nous, de beau et de positif en ce monde !

Si, en revanche, cette croyance peut être constructive, c'est bien. Mais j'ai la profonde conviction qu'à partir d'un certain degré d'évolution, elle n'a plus aucune influence. Daniel et moi qui avions la possibilité de poser des questions sur notre « passé », ne l'avons jamais fait. Nous n'avons pas éprouvé cette curiosité...

J'ai constaté, à plusieurs reprises, que ce sujet — comme bien d'autres d'ailleurs — entraînait des discussions oiseuses, des jugements, des intolérances. Alors, ne vaut-il pas mieux se taire ? Nul ne peut imposer ses convictions aux autres, et si nous voulons être respectés, respectons l'autre. Ce qui n'empêche pas d'exprimer sincèrement ses sentiments, lorsqu'on nous interroge.

Lorsque le Christ est venu sur terre, il a rendu sa dignité à l'homme, cet homme de la rue qui n'avait à l'époque guère de valeur. Il est mort sur la croix pour racheter tous les péchés du monde, peut-être — et pourquoi pas ? — pour racheter leur karma...

Comment peut-on prendre la responsabilité de mettre un patient face à son passé... hypothétique de surcroît ? Non seulement un malade est atteint dans son corps et, dans son esprit, souffre d'être diminué, mais il faut, en outre, qu'il soit bien culpabilisé ! « Tu souffres ? Tant pis pour toi, tu l'as mérité, voilà ce que tu as fait ! » C'est là une conception bien réductrice du karma selon la théorie hindoue !

Bien des malades, de surcroît, m'ont avoué qu'ils avaient dit, au cours de ces régressions, *n'importe quoi.* Ils l'ont souvent vécu comme un rêve, un jeu fascinant, parfois comme l'expression d'un fantasme qu'ils pouvaient enfin avouer ! D'autres m'ont avoué : « Je sais parfaitement que j'ai raconté ce que j'aurais voulu être. »

Ces expériences, si elles ont une quelconque valeur, devraient aider, responsabiliser, non enfoncer le patient davantage ou nourrir ses rêves de grandeur ! Les bouddhistes, d'ailleurs, n'utilisent jamais ce « forçage » et n'en comprennent absolument pas l'utilité...

Il m'est souvent arrivé, après une conférence, d'entendre des choses du genre : « Maguy ! Vous avez une merveilleuse aura. Vous étiez une Essénienne ! — Mais non, j'étais certainement un chien affamé dans le désert : j'adore ronger les os ! »... Ce qui laisse coi mon vis-à-vis !

Croyez-moi, peu importe ce que nous avons été. Ce qui compte, c'est ce que nous sommes aujourd'hui, c'est tendre la main à celui qui est seul, à celui qui pleure. Ce qui compte, c'est venir en aide à un enfant, c'est notre présence aimante près de celui qui n'est pas aimé. Réincarnation ou pas, peu importe ! Chacun est libre. Et, dites-moi, qu'est-ce qu'une croyance, une conviction, par rapport à l'amour, face à lui ? Si certains pensent que connaître notre passé est utile à notre évolution et nous fait grandir plus vite, personnellement je ne le crois pas.

Ce ne sont ni la culture, ni l'instruction, ni la connaissance qui grandissent l'homme, c'est son amour. Dans toutes les disciplines, toutes les religions, tous les partis politiques mêmes, il est de tristes gens et de grandes figures qui forcent l'admiration.

ADOPTION, DIVORCE
ET AUTRES SUJETS D'ACTUALITÉ

> *« Il n'y a ni sang, ni race, il n'y a que l'appel*
> *irrésistible de la vie.*
> *« L'appel du sang ? Quelle blague ! Ou*
> *alors c'est que vraiment le sang est universel,*
> *car l'enfant n'est pas un bien d'État, mais le*
> *patrimoine de l'humanité. »*
>
> Bernard CLAVEL,
> *Le Massacre des Innocents.*

J'ai déjà parlé d'une amie lointaine, vivant au Brésil, et qui m'a décrit la détresse des enfants de ce pays, élevés pour la prostitution, qui souffrent et meurent, et elle s'étonne de ce qu'on ne fasse rien pour donner une chance à ces petits.

Bien des appels au secours de cette sorte me sont parvenus. Quelles que soient nos idées, notre religion, ce terrible problème ne pourra être résolu que si on s'en préoccupe en haut lieu et au niveau international. Il faut que les pays nantis acceptent d'aider les plus démunis. On ne parle pas assez de l'adoption, qui pose la terrible question de la survie de bien des innocents, même si la première des solutions consistait à aider les mères qui veulent garder leur enfant, qui l'aiment et ne l'abandonnent souvent que contraintes et forcées par la maladie et la misère.

Même si c'est à une échelle très limitée, je connais bien ce problème de l'adoption et de ces enfants un peu perdus, faute d'amour. Nous avons toujours pensé, Daniel et moi, pour ceux que nous avons recueillis, que l'amour donné était beaucoup plus important que le pain quotidien. Mais je crains, hélas, que des milliers d'enfants soient sacrifiés dans notre monde égoïste, tant que l'intérêt des nations régnera sur la terre !

Il y a heureusement des histoires plus gaies, comme celle de Juliette, dont la conclusion est extrêmement rare. Cette aventure exemplaire montre comment « les voies du Seigneur » nous semblent toujours impénétrables... et comment nous devons, quoi qu'il arrive, garder l'espoir au cœur...

Juliette, ballottée de nourrice en nourrice et enfin adoptée à l'âge de cinq ans par un couple de trente-cinq ans dont elle sera l'unique enfant...

Les parents adoptifs font ce qu'ils peuvent pour lui apporter la stabilité et l'amour dont elle a besoin. Ils lui offrent un milieu protecteur, fortement normatif et stéréotypé, duquel les démonstrations affectives sont bannies. Néanmoins, l'enfant grandit. Sa santé est délicate, sans maladie réelle mais émaillée de troubles divers : manque d'appétit, troubles digestifs, migraines, angoisses, nervosité... bref, toute la cohorte des problèmes fonctionnels.

Juliette a des dispositions pour toutes les activités artistiques : dessin, décoration, photographie, et fait preuve d'un goût qui détonne dans son milieu d'accueil ouvrier. Ces qualités, visiblement innées, ne sont pas prises en compte par les parents qui, dans l'orientation professionnelle de leur fille, cherchent le « sûr », le

« stable ». La maman de Juliette travaille comme employée de bureau dans une administration. Juliette suivra le même trajet professionnel et entrera dans le même établissement que sa mère. CAP de sténodactylo en poche.

A vingt ans, elle est devenue une belle jeune fille très typée, gracieuse et délicate, suscitant bien des convoitises. Elle gère mal l'indépendance qu'elle a prise en s'installant seule et fait quelques expériences douloureuses, en amour. Ses choix vont vers des hommes d'âge mûr dont visiblement elle cherche la protection. Son père, ouvrier communal, est un homme-enfant très immature, totalement pris en charge par sa femme. Il n'a jamais constitué pour Juliette une image parentale forte. L'homme de la famille, c'est la mère qui organise tout, fait tout, pourvoit à tout. Juliette l'aime beaucoup et s'inquiète pour sa santé qui se dégrade de jour en jour. En fait, elle développe une leucémie osseuse à l'évolution très difficile.

En quatre années, le mal a raison de ses luttes, de ses larmes et de ses angoisses. Juliette suit pas à pas la maladie de sa mère et en est très éprouvée ; l'agonie est lente, terriblement mutilante et laisse Juliette désemparée, fuyant les images insoutenables. Et un triste jour de novembre, Juliette se retrouve seule face à un père au moins aussi désemparé qu'elle. Le chagrin ne les rapproche pas, trop de différences et d'incompréhension les séparent.

Juliette lutte pour trouver un sens à sa vie, sans sa mère pour la soutenir. Elle s'ennuie dans son travail qui ne lui plaît pas. Elle cherche à l'extérieur un peu de soutien qu'elle trouve de manière inégale... et sombre dans la déprime. Au milieu de ce brouillard, alors qu'elle se trouve seule chez son père, elle trouve, dans les papiers de famille, deux documents relatifs à son adoption. Juliette sait qu'elle a été adoptée, mais n'a jamais rien su de ses origines.

Photocopies en poche, elle oriente ses recherches, d'abord du côté du père, sans succès. Chemin faisant, elle s'interroge : quel accueil lui fera-t-on si elle retrouvait l'un ou l'autre ? Qui va-t-elle trouver ? Quel métier ? Quel passé ? Elle a peur mais, néanmoins, elle espère. Puis, fortuitement, elle parle de ses recherches à une amie secrétaire chez un notaire. Celle-ci interroge l'état civil, comme elle le fait souvent dans le cadre de sa profession. Et soudain, c'est le miracle ! En quelques appels téléphoniques, elle localise sa mère et apprend qu'elle n'a pas d'autre enfant, qu'elle est mariée depuis deux ans à un fonctionnaire et qu'elle est considérée comme « quelqu'un de bien ».

Malgré tous ces résultats encourageants, elle hésite à établir le contact : et si sa mère la rejetait encore ?

Sollicitée, j'accepte de servir d'intermédiaire et écris une lettre dont je pèse chaque mot afin de ne pas l'alerter. J'explique que je fais des recherches sur le passé de ma famille et que j'aimerais que nous parlions, d'elle à moi, en toute franchise. Ma lettre reste vague, car j'ignore si le mari est au courant, et il n'est pas question de perturber ce couple. C'est le mari qui répond à ma lettre, par téléphone. D'abord tendue, je me sens très vite à l'aise car l'homme est très coopératif : il m'indique le numéro de téléphone de sa femme. Maintenant, me voici au pied du mur. Elle attend mon appel. Je me concentre car je n'ai pas envie de lui dire au téléphone le réel objet de mon appel, mais souhaite une rencontre. La dame est accueillante, me presse, par des interrogations successives, d'en venir au fait. Dès les premiers mots, je suis très émue car elle a la même voix que sa fille. Très vite, je suis acculée. Après avoir situé l'époque à laquelle je m'intéresse, je lui précise qu'elle est seule concernée. Demeurée un instant silencieuse, elle me confie dans un souffle : « Ma fille ? »

Je suis muette à mon tour ; l'émotion me noue la gorge. « Parlez, madame, parlez ! » me dit-elle. Que dire ? J'acquiesce. Alors, au bout du fil, la mère s'effondre en larmes en apprenant que sa fille la recherche. Elle me confie, dans un sanglot, l'histoire qui a été le drame de sa vie : une grossesse à dix-sept ans, un compagnon trop jeune pour se marier, une famille opposée, la naissance de Juliette qu'elle a élevée durant deux ans, les nourrices pour Juliette, suite aux difficultés financières de sa mère, enfin une tragique affaire de détournement d'enfant, de chantage au mariage... et la disparition de Juliette. Sa mère est sans nouvelles d'elle depuis près de trois ans quand un matin, une femme se présente à son domicile et l'entraîne sans ménagement chez un homme dont elle comprendra plus tard qu'il s'agit d'un notaire.

Là, en présence d'une inconnue et du maître chanteur qui a reconnu l'enfant à son insu, on lui présente une facture de nourrices représentant presque trois ans de pension. On la somme de payer tout de suite, sinon sa fille sera confiée à la DASS. D'ailleurs, n'est-ce pas mieux pour elle, puisque sa mère n'a pas les moyens de subvenir à ses besoins ? D'autant plus que de riches commerçants souhaitent l'adopter. « Pensez à votre enfant, madame, et à son intérêt. » Complètement abasourdie, la pauvre mère ne sait plus où elle en est. Elle mesure ce qu'elle a à offrir à sa fille face à ces riches commerçants. Alors elle signe. Par la suite, elle tentera de se rétracter, mais il sera trop tard.

La narration qu'elle me fait me touche énormément.

Elle me présente là une version des faits tels que visiblement elle les a vécus, et son chagrin n'est pas feint. Elle exprime ainsi le regret de toute sa vie : pas un instant elle n'a cessé de penser à cette enfant, oscillant entre le désir de la retrouver et la crainte d'intervenir dans sa nouvelle vie. C'est par un sentiment exacerbé de culpabilité qu'elle n'aura pas d'autre enfant.

Juliette, informée, est folle de joie. La rencontre mère-fille est pathétique, mais tout de suite, elles se reconnaissent. Le mari, au courant du drame de sa femme, accueille cette belle-fille à bras ouverts.

La jeune fille, grâce à des recherches intensives, a pu revoir également son père. Elle tient de lui son goût pour le dessin car il est dessinateur publicitaire. Son talent pour la décoration, c'est sa mère qui le lui a transmis. Deux ans après le décès de sa mère adoptive, Juliette a ainsi retrouvé sa mère biologique et a été accueillie dans une famille où chacun, oncles et tantes, grand-mère, cousins et cousines, se sont réjouis de son arrivée. Je demeure persuadée que cette rencontre a été voulue et facilitée par la mère adoptive qui, de là-haut, a accompli pour sa fille ce dernier geste d'amour.

Il est très rare qu'un enfant adopté qui retrouve sa famille biologique l'accepte bien et puisse conserver de bonnes relations avec elle. L'adopté, souvent, rêve et imagine sa mère comme un modèle. Au moment de l'adolescence, les problèmes s'intensifient, comme dans toutes les familles d'ailleurs — et il a envie de retrouver celle qui l'a mis au monde. C'est, la plupart du temps, une terrible déception ; mais elle a le mérite de faire comprendre à l'enfant la chance qui a été la sienne d'avoir été adopté. Le plus souvent, si l'enfant, dans la mesure du possible et au fur et à mesure des questions qu'il pose, connaît la vérité sur son statut d'adopté, il est beaucoup moins pressé de savoir d'où il vient vraiment. Dans certains cas, la rencontre avec la mère peut être une source d'apaisement. Mais le choc est souvent terrible, et des deux côtés, un traumatisme, un rejet de la réalité, et beaucoup de rancœur peuvent s'ensuivre. Il faut être capable d'y faire face !

Il vaut mieux dire la vérité aux enfants le plus tôt possible. Je crois que le pire pour eux est le mensonge, même tacite, qui leur ôte toute confiance en leurs parents.

Ainsi Jean-Luc, fils unique, apprend à dix-huit ans par des copains qu'il est adopté. Sa fureur est telle qu'il rentre chez lui et brise tout dans sa chambre. Ce garçon intelligent, qui faisait de bonnes études, a glissé peu à peu vers l'alcoolisme et la délinquance.

Il ne faut pas adopter un enfant « pour soi », pour ne plus être seul dans ses vieux jours, mais pour lui-même. Il doit être traité normalement, car à côté de cet amour immense qui lie parents et enfants, une éducation rigoureuse, avec tout ce que cela comporte de fermeté s'impose, parfois même une fessée, qui fait tant de bien à la maman. Eh oui, je suis pour une bonne fessée de temps en temps, et tous les enfants que nous avons adoptés et qui en ont reçu, en parlent avec humour, ne se privant pas eux-mêmes, avec leurs enfants biologiques ou non (certains de mes enfants ont attrapé le virus et adopté à leur tour), de sévir quand il le faut. Un laxisme excessif peut conduire à des catastrophes.

Une maman me dit à ce propos : « Je vis un drame terrible, je suis désespérée. Mon fils, que j'ai peut-être trop gâté, a pris un mauvais chemin. Il a détruit sa vie et la mienne. J'ai perdu toute foi et toute espérance, je ne sais ni ne veux plus prier. Inscrivez-moi sur votre liste de malades car j'ai besoin d'aide ; mes journées sont très éprouvantes, je suis seule et voudrais rejoindre un groupe. »

Cette maman, à bout de ressources, a rejoint un groupe et elle n'est plus seule. Une misère partagée est plus légère à porter. Elle nous rejoint dans la prière tous les soirs et participe à notre chaîne d'amour.

Nous devons apprendre à nos enfants la prière. Comme on nourrit le corps, il faut nourrir leur âme, et cela les préservera de bien des maux.

Dans nos chaînes de prière de 20 h 30, nous gardons avec nous les bébés présents, en famille. Très vite, ils comprennent — dès dix-huit mois —, participent bien mieux qu'on ne peut l'imaginer. Leur esprit enregistre au fur et à mesure qu'ils grandissent. Ils apprennent ainsi, en outre, à se contrôler, à se maîtriser. L'enfant sait qu'une minute de silence et de sagesse, donnée pour des enfants malades, est un cadeau qu'il doit faire. Selon sa maturité et quelle que soit sa religion ou l'enseignement qu'il va recevoir, le goût de l'effort et de la prière est en lui, déjà inculqué, mais aussi *le goût du partage*. Selon son évolution, ses progrès, il vient aux réunions d'accompagnement avec ses parents, dès que ceux-ci le décident, parfois à l'âge de quatre ou cinq ans ! A Noël dernier, nous avons assis les enfants en cercle, ils se donnaient la main. Au milieu d'eux, des petits enfants atteints de leucémie, cancer, Sida, etc. Ils étaient environ quarante-cinq. Pas un n'a bougé, et leurs petits visages graves étaient extraordinairement émouvants. Leurs petites mains bien unies, leurs yeux fermés... Quel cadeau ils ont reçu ! Jamais ils n'oublieront. On pourra, plus tard, tout leur prendre, leurs biens, leur maison, leur santé, mais on ne pourra jamais voler la foi gravée en eux.

Avec le recul du temps, force nous est de constater que de tous ces enfants qui pendant tant d'années ont partagé nos activités et qui sont maintenant des adultes, nous amenant à leur tour leurs propres enfants, aucun n'a jamais connu la drogue, pas plus que ceux qui, en se mariant, ont persuadé leur femme ou leur mari de se joindre à nous.

Tout accorder à un enfant n'est pas lui rendre service. Trop d'argent, trop de permissivité ou de faiblesse, c'est presque toujours l'assurance d'un échec éducatif. Discuter, sévir, faire la morale ne sert pas à grand-chose. C'est l'exemple qui compte.

Regardez autour de vous, par exemple, la déchirure et la souffrance que peut provoquer un divorce en cas de conflit entre les parents. Certains enfants se sentent complètement abandonnés, coupables, et ils sont marqués pour la vie. Que dire de ces parents qui se servent de l'enfant comme d'un pion, comme d'un instrument de chantage ou de vengeance ? Où est l'amour, en pareil cas ? Si les parents conservent un peu de sagesse, de bon sens, de générosité, s'ils protègent leur enfant, le divorce ne provoquera pas de traumatisme. S'ils partagent équitablement, savent se taire, ne pas faire peser sur l'enfant leur chagrin, leur colère ou leur amertume, tout se passera bien. Ils seront même parfois plus sereins qu'avant, à l'époque où les cris, les larmes, les scènes ou les hurlements les poursuivaient nuit et jour.

Bien sûr, le divorce n'est jamais une solution heureuse, mais il vaut mieux un divorce à l'amiable et intelligent qu'un mariage malheureux dont les enfants pâtissent aussi. Je vous en supplie, respectez vos enfants, sachez vous sacrifier pour eux, pesez bien le pour et le contre de toute décision susceptible de leur nuire.

J'ai entendu tant de confidences, j'ai écouté tant de récits, impuissante à aider, bien sûr, car il n'est pire sourd que celui qui ne veut pas entendre ! Mais j'ai constaté que dans les trois quarts des cas, au moins, la paix revient après la tempête, les papas et les mamans refont leur vie, sont de nouveau heureux, mais l'enfant, lui, reste profondément traumatisé si les parents n'ont obéi qu'à leur égoïsme. Les enfants ont besoin d'admirer leurs parents...

« Bienheureux celui qui peut lire l'admiration dans les yeux de ses enfants », a dit un ange spirituel. Et tous les parents, hélas, n'en sont pas dignes.

Il m'est arrivé de rencontrer une maman qui était au courant des relations incestueuses de son mari et de leur fille de onze ans ! Elle a tenté de m'expliquer qu'elle n'a pas « voulu voir » pour ne pas perdre son mari, mais aussi la petite, de peur que les services sociaux ne la lui enlèvent !

Il faut parfois tenir compte de la lâcheté, de la maladie, de la perversité de certains parents, parfois des deux à la fois ! Ainsi la terrible histoire d'Élisabeth :

Élisabeth vivait heureuse avec sa petite sœur et ses parents. Ce temps du bonheur a été de courte durée. Le père, peu à peu, a sombré dans l'alcool, entraînant avec lui sa famille dans la déchéance et dans l'horreur.

Après la mort de sa sœur, violée un soir de délirium tremens, Élisabeth a fui, recueillie par une communauté qui l'a aidée. Elle a fait des études de psychologie, décidant de consacrer sa vie aux alcooliques et à leurs familles. Elle a écrit un livre sur son calvaire et celui des siens où apparaît clairement, malgré tout, l'amour qu'elle éprouvait pour son père.

190

Sans aucun doute, il aurait mieux valu, en pareil cas, une séparation des parents.

Ce document, écrit par Élisabeth, est plein d'amour et de courage, plein de sages conseils aussi. Il mériterait d'être publié, et je le souhaite à Élisabeth qui m'a demandé de préfacer son ouvrage. Je l'ai fait en ces termes :

« Avoir été choisie par une combattante — et quel combat ! — me prouve que le message est passé. » Etty me l'avait prédit : « Il faut que *Médecins du ciel, Médecins de la terre* soit la première porte poussée, pour ceux qui n'en poussent pas, la première ouverture au niveau de tous, de ceux qui souffrent, de ceux qui luttent seuls, de ceux qui désespèrent, car il est tant de richesses et de lumières cachées. »

Ce livre ouvre aussi une porte sur l'Espérance. Espérance pour le malade alcoolique de voir un jour sa guérison ; espérance pour la famille de voir un jour la fin du cauchemar, espérance pour tous d'être enfin compris et non plus rejetés.

Je me souviens... de mon enfance à la campagne où presque chaque village avait son « soûlaud ». Chaque dimanche et jour de fête, les voisins l'emmenaient boire un verre et se tordaient de rire lorsqu'il rentrait chez lui ivre mort, attendu par sa femme qui lui tapait dessus en hurlant.

Je me rappelle cet enfant de dix ans retenant de toutes ses forces sa mère titubante qui voulait traverser à tout prix au feu rouge et qui insultait les automobilistes. Le regard de cet enfant a croisé le mien. J'y ai lu toute la détresse du monde, toute la honte du monde, mais aussi tout l'amour du monde... pour sa maman.

Dans mon cabinet, combien d'enfants, de parents, de

conjoints m'ont raconté leur martyre, et combien de malades, leur descente aux enfers !

Les alcooliques sont des malades comme les autres. Leur combat est un combat contre la maladie. La route est sinueuse, avec des montées et des redescentes. La compréhension, l'amour, la prière sont des thérapies complémentaires.

Ne riez jamais devant un jeune homme un peu trop gai, offrez-lui votre bras et dites-vous que demain, ce peut être votre propre enfant ou votre petite-fille... Il en est de l'alcool comme de la drogue. Nous devons être tous conscients et solidaires.

« La valeur humaine est indispensable à la vie d'une société qui doit s'épanouir et progresser. L'aide à la détresse est une attitude mentale coopérative — de chaque instant — qui ne peut être vécue que par un acte d'amour, de charité, de compassion et parfois de renoncement. Nul n'est parfait sur terre, mais nous pouvons tous, un instant, devenir un magicien de Dieu, avec simplement un sourire, une main tendue. »

Mon message est une prière...

Marie, psychologue, travaille depuis quinze ans auprès de jeunes en détresse, dits à « hauts risques ».

« Il faut, dit-elle, investir pour eux et en eux une somme d'énergie et d'amour, de chaleur humaine, qui m'épuise parfois. Il faut parfois combattre avec ardeur, mais si je parviens à leur offrir l'amour simple, tout simple, si celui-ci m'envahit avant la technique professionnelle, les résultats sont multipliés par dix, mais sans qu'eux — ni moi — ne s'en rendent compte. »

Je crois profondément en la force de l'amour, de la compréhension et de la tolérance. Je crois à l'ouverture du cœur.

Cela me rappelle une histoire survenue à mon fils Hugo qui avait fait un stage, au cours de ses études, dans une école d'enfants handicapés mentaux. Il s'était tout particulièrement attaché à un enfant très atteint autiste, complètement emmuré dans son silence. Hugo me confiait alors : « Maman, l'esprit de cet enfant existe, entend, connaît, j'en suis certain. Comment l'aider ? — Par l'amour, lui répondis-je ; aime-le. »

Mon fils a fini son stage et n'a plus revu cet enfant. Mais un jour, en pleine rue, à Grenoble, alors que je marchais près de lui, j'entends derrière nous des hurlements gutturaux : « Oh Oh Oh Oh ! »... Hugo se retourne et voit « son » enfant handicapé qui voulait venir vers lui, lors de la promenade avec ses éducateurs. Deux ans après..., lui qui ne connaissait personne avait reconnu Hugo.

J'aime tant les enfants que je pourrais parler d'eux encore et encore, mais je veux aussi être le porte-parole de tous et de toutes. J'ai parfois l'impression qu'en agissant ainsi, je « me mets en scène » et j'en suis gênée. Mais croyez bien qu'il ne s'agit nullement de me tresser des couronnes : je ne suis que l'instrument qui veut témoigner de la souffrance qui traverse notre société, de toutes ses blessures, de ses incertitudes. Il me semble que chaque expérience qui m'a été confiée et que je vous transmets à mon tour trouvera un écho, touchera un lecteur ou une lectrice qui reconnaîtra sa propre épreuve en celle d'un autre, que ceux qui me liront, qui les liront, se sentiront moins seuls. Ils pourront se dire : d'autres ont traversé les mêmes difficultés que celles qui m'accablent... et ils s'en sont sortis. Les combats d'une vie sont moins terrifiants si d'autres les partagent.

Parfois, nous errons longtemps avant de trouver notre réponse. Ainsi Béatrice :

« J'ai lu votre article dans *Thérapeutique naturelle*. J'ai été très touchée. Voici pourquoi : j'avais lu, après une discussion avec une amie, un livre sur l'énergie cosmique. J'étais éblouie et en parlai à mon mari qui me dit : " Il faut d'abord être en pleine harmonie avec Dieu. " Je fus surprise et un peu vexée, mais comme il avait raison ! Aujourd'hui, je le remercie. Mon mari vit dans la simplicité, le bonheur, la joie, sans jalousie et souhaitant le bonheur à tous, même à ceux qui ne l'aiment pas beaucoup. Sa phrase me trotta dans la tête et subitement je décidai de devenir meilleure. Il y avait beaucoup de travail à faire pour changer. J'ai connu la lutte entre le bien et le mal, je me suis tournée vers la prière, vers le Christ. J'ai beaucoup pleuré, le doute, le désespoir m'ont guettée. Mon mari m'encourageait : " Tu as découvert le chemin, il faut continuer. " Il avait raison. Dieu m'attendait. J'ai connu l'oubli de moi-même, l'envie de faire plaisir, je suis retournée aux offices ; je suis plus humble et la joie est en moi. Je vous raconte cela parce que j'ai trouvé votre article si vrai, si près de moi. J'ai beaucoup de chemin à faire, mais je penserai à vous, cela m'aidera. B. »

C'est l'image d'une vie, comme un sentier de montagne, avec ses montées abruptes, ses descentes, ses moments forts ou faibles. Il est vrai qu'il ne suffit pas de donner, mais il faut savoir le faire. Je me souviens d'une dame, très croyante, selon elle, qui allait tous les dimanches à la messe et faisait l'aumône. Elle avait « ses pauvres » qu'elle visitait, une fois par semaine, en Mercedes, avec chauffeur portant les paquets. « Je ne comprends pas pourquoi ils ne m'aiment pas, disait-elle, je ne peux tout de même pas rentrer chez eux, ça sent tellement mauvais ! »

Mon amie B. l'a très bien compris. C'est avec son cœur qu'il faut donner, dans la pureté du geste, et ça n'est pas toujours de l'argent ! La montée spirituelle passe toujours par la porte du dépouillement : de son nécessaire parfois, de son orgueil, de son ego. Savoir recevoir les coups sans les rendre...

Mon amie Malou, qui a vécu tant d'années près de moi après sa guérison, me dit souvent : « Comment peux-tu accepter cela, et souvent avec le sourire ? » Parce que je suis certaine que ceux qui font mal, consciemment ou non, n'ont pas compris l'essentiel : qui sème le vent récolte la tempête, le ballon lancé contre le mur revient à celui qui l'a lancé... Savoir pardonner, c'est la base même de notre évolution. Prions pour ceux qui nous agressent, semons l'amour et la moisson sera belle !

Cette leçon de sagesse, toute simple, les bouddhistes l'ont bien comprise et, la plupart du temps, ils savent aborder les problèmes humains avec beaucoup d'humilité. Leur regard, posé sur le monde, est empli d'indulgence et de détachement, et ils me réconfortent souvent. Et puis, j'adore leur « repas païen » !

« Votre lettre m'a rempli de joie, m'écrit un lama de mes amis. La force de cet amour pour les autres se transmet dans votre courrier. Je m'associe à vos prières. Pour moi, chaque jour est identique au précédent. Depuis deux ans maintenant, le rythme — 4 heures le matin, jusqu'à 22 heures — comprend la méditation en solitaire. Office matin et soir, en commun. Chacun prépare son repas seul. Les années de retraite passent très vite, les illusions s'effritent peu à peu. On apprend la patience, la lenteur dans le travail. Il faut tout reprendre à la base, accepter les chutes, apercevoir son vrai visage. Nous sommes tous dans notre " caisse de méditation ". Le manque de confort relatif, pas de chauffage par exemple, est secondaire ; on se couvre, on se découvre selon le temps, personne n'a rhume ni grippe. Si je dois faire un premier bilan, il consiste surtout en une affirmation profonde de ma foi, une confiance et une dévotion totales à l'enseignement de Bouddha, et en un frère lama qui a quitté son corps depuis peu.

« Il me semble acquérir une plus nette conscience de la souffrance et surtout de la cause de cette souffrance, du moins du mécanisme dans lequel nous sommes plongés et comment nous sommes nous-mêmes les artisans de nos joies et de nos peines. Il faut nous purifier des karmas négatifs que l'on traîne comme un boulet, des tendances de l'esprit qui font commettre à nouveau des actes négatifs. La retraite est une source de pratiques pour que peu à peu se découvre la nature divine, seule réalité de l'homme. Ma foi va grandissant et je ne pourrai retourner dans le monde que pour servir et aider. Si des êtres de lumière vous ont contactée un jour, c'est parce que votre chemin est déjà avancé. Consacrer sa vie aux souffrants comme vous avez accepté de le faire montre que depuis longtemps vous avez cultivé cette aspiration. La peur de la mort fait partie des épreuves et souffrances de l'homme décrites par Bouddha. Ce qui m'a beaucoup attristé dans ma vie, c'est la non-préparation, typique de l'Occident, cette façon de considérer la mort comme un échec. Qui vit doit mourir. On peut construire les trains les plus rapides ou se promener dans le cosmos, nous ne sommes que des enfants.

« On se réjouira pour une naissance qui est seuil de

196

souffrances et d'épreuves alors que la mort est le passage vers le bonheur absolu. Tous ceux qui sont morts cliniquement et en sont revenus le disent. D'où vient cette peur viscérale ? Nous mentons souvent aux mourants et ils ne sont pas dupes. Nous voulons les rassurer — paraît-il — alors qu'ils ont besoin, plus qu'à tout autre moment de leur vie, d'être compris, préparés et aidés. Notre attitude ne peut qu'accentuer le côté angoissant de cette épreuve. Je ne comprends pas le christianisme qui n'enseigne pas la mort. Même le sacrement de l'extrême-onction est devenu le sacrement des malades pour ne pas effrayer les mourants. Il me semble parfois que l'Église et certains prêtres ne savent plus quoi faire et considèrent eux aussi la mort comme un échec. Je me pose souvent la question : Comment la religion catholique considère-t-elle votre action ?... Lorsque nous faisons un repas " païen ", nous faisons une cérémonie d'offrandes avec prières pour que se développent amour et compassion en l'esprit de chacun, que soit apaisée la souffrance en ce monde. »

A travers cette lettre, ne devine-t-on pas un peu mieux le sens de la souffrance et le sens de l'amour ?

Cette extraordinaire solidarité née de l'amour opère parfois des miracles. En voici un.

Il était une fois... je pourrais commencer ainsi ce récit.

Un de mes amis, philosophe et très croyant, lyonnais de surcroît (tout le monde sait bien que Lyon est une ville un peu secrète, mystérieuse et un peu mystique... et c'est peut-être pour cela que j'ai choisi d'y naître), s'appelle Félix. J'ai connu mon ami Félix à la salle d'études psychiques des Terreaux où j'ai fait ma première « causerie », en sortant de mon long silence et où j'ai failli mourir de peur devant une salle de cent personnes ! Un jour, en lisant *Médecins du ciel, Médecins de la terre,* Félix a eu l'idée d'offrir cet ouvrage à toutes les prisons de France. Une grande et surprenante aventure a alors commencé. Il a d'abord demandé l'autorisation du garde des Sceaux et l'a obtenue, après lui avoir offert le livre. Félix a acheté une grande quantité d'exemplaires, il a écrit au directeur des maisons carcérales et a commencé à faire des paquets. Il n'est ni riche ni jeune, retraité, aidé seulement de sa femme Marguerite, chargée de porter les paquets à la poste. N'est-ce pas inimaginable ? Des gens âgés, sans grands moyens, charriant des livres, jour après jour, mois après mois, à prendre de la peine !

L'effet sur les prisonniers ne s'est pas fait attendre. Les lettres sont arrivées, chez lui, chez nous. Bien des hommes parmi les plus endurcis ont été ébranlés. Le « lieutenant » d'un ennemi public écrit par exemple : « J'ai tué. Oui, j'ai commis les pires horreurs. Mais je ne savais pas. Si je sors un jour, je jure de ne plus le faire ! » Et un autre : « Jamais je n'aurais cru qu'on vive après la mort. Maguy, je vous jure que je ne ferai plus le con (*sic*). »

Beaucoup nous ont affirmé que ce livre avait été une lueur d'espérance dans leur désespoir et leur nuit. Certains, encore aujourd'hui, sont restés en correspondance avec nous.

Félix a fait, à Lyon, une conférence intitulée : « Quand l'espoir rentre dans les prisons. » Et les prisonniers éditent parfois une revue. A la prison de L., ce journal s'appelle *A contre-courant.* J'y ai relevé ces lignes : « Que l'homme soit un ouvrier perdu dans la masse, un universitaire ou un érudit, il est parfois frappé de faiblesse, d'inutilité, solitaire. Un éclair de raison ou un écho venu d'ailleurs peut secouer sa conscience en sommeil. »

Dans la société pleine de violence que nous connaissons, pourquoi ne pas aider ces exclus par des livres qui peuvent leur être d'un grand secours, leur être précieux, pour eux, pour les familles de prisonniers ? Ceux qui veulent entrer en contact avec Félix peuvent lui écrire à cette adresse : M. Odet, 102, cours Tolstoï, 69100 Villeurbane.

Pour ce couple merveilleux, la charge de tous ces envois a été très onéreuse, mais un bienfait ne se perd jamais et nous recevons toujours au centuple ce que nous donnons avec notre cœur.

Félix possédait un terrain dont il ne pouvait rien faire parce qu'une autoroute devait passer par là. A sa grande stupéfaction, cette terre lui a été payée beaucoup plus qu'il n'avait jamais osé l'espérer. Et miracle, ses dépenses pour les prisons ont été, de ce fait, largement compensées.

C'est une jolie histoire, et elle est authentique, comme toutes celles que je vous conte. Parfois, la réalité dépasse la fiction, et un bon geste trouve sa juste récompense.

Je suis convaincue que Dieu nous offre toujours une chance. A nous de la saisir ou de la laisser échapper. Ce peut être une rencontre, une expérience, une maladie, un événement insolite, une chose lue ou entendue... il nous appartient de comprendre le message, de le capter car nous possédons tous notre libre arbitre. Et si *Médecin du ciel...* a parfois été le détonateur qui a provoqué un changement, j'en remercie Dieu.

Ainsi ce témoignage de Louise qui m'écrit :

« Devant ce livre, lu et relu, j'ai toujours senti le même émerveillement profond, comme une pluie d'étoiles au creux de nuits d'insomnies. Il n'y a pas de mots pour vous remercier d'avoir eu le courage de publier cet ouvrage. Toute ma vie, j'ai eu une soif intense de quelque chose que je ne trouvais pas. J'ai longtemps cherché, longtemps marché, veillant à ne pas tomber dans les dogmes qui asservissent, me méfiant de tout et surtout de ces " pseudo-mystiques " qui professent l'illumination pour mieux asseoir leur puissance et souvent... leur richesse. Je suis tombée plusieurs fois dans leur boue, je me suis relevée sans éteindre le feu qui brûlait en moi. Le jour du baptême de mon enfant, tout s'est éclairci et j'ai eu le courage, publiquement, de m'engager dans mon église. J'ai ressenti une joie que je n'avais jamais connue. Je suis devenue un arbre, non pas nourri par les racines du sol, mais celles du ciel. Cela, Maguy, grâce à votre livre qui m'a fait tant de bien. »

Et à mon tour, je ne peux que rendre grâce aux médecins du ciel, à Etty, à tous ceux qui, de là-haut, m'ont tenu la main.

Le père J., prêtre catholique, m'a téléphoné, espérant venir avec des amis lors d'une réunion de prière et d'accompagnement à Grenoble. Il en a été empêché et m'a écrit :

« Je suis allé à Ars et j'y ai prié pour vous, pour vos proches et pour cette chère Etty, puisque le curé d'Ars est votre patron. Cette journée demeurera gravée dans mon cœur. Ma réaction est personnelle. Il y a d'autres pères qui ont aimé votre livre, mais il ne peut être le reflet d'une communauté. Chacun de nous est différent et je suis certain que vous n'êtes pas toujours comprise par ceux-là mêmes qui devraient avoir un regard d'amour, de compréhension, de générosité, étant donné qu'ils se réclament de Dieu. Vous avez certainement souffert de cela, mais Dieu protège ceux qui le servent fidèlement. Bon courage, Maguy, continuez dans la joie et l'abandon à celui qui vous conduit. Tant d'êtres humains aspirent aux vraies valeurs de la vie ; un immense enfantement est en train de surgir, nous ne pouvons que nous réjouir ! »

Ce père possède le prodigieux rayonnement qui appartient à ceux qui savent ouvrir les yeux sur les splendeurs qui nous sont offertes. Il voit Dieu partout parce que Dieu est en lui. Un homme triste, vindicatif, autoritaire, voit Satan dans tous ceux qui ne le suivent pas, c'est bien connu...

Beaucoup d'amis lecteurs se mettent généreusement à mon service pour m'aider à transmettre le message d'amour. Telle cette charmante Allemande qui m'écrit :

« Mon mari est médecin ; votre livre nous a émus et fourni une réponse à bien des questions. J'ai fait partie d'une secte ; j'ai vécu des moments douloureux et pourtant je suis catholique, mais j'étais trop déçue. Je parle français, allemand, espagnol, portugais, et j'apprends le japonais. Je voudrais vous aider car j'ai des amis partout dans le monde... »

Quelle merveille d'avoir des amis partout dans le monde !

Je suis heureuse de savoir que cette jeune femme est sortie d'une secte sans dommages, mais qu'est-ce qu'une secte ? On me pose souvent cette question, et je suis bien mal placée pour y répondre puisque, au début de la création de nos associations, certains nous suspectaient d'en être une. Il me semble qu'avant tout la secte se caractérise par une emprise morale quasi totale sur les autres, par une perte de liberté et de conscience personnelle, un conditionnement dont le sujet, soumis à

201

l'influence de la secte, ne peut plus, le plus souvent, se défaire. Peu à peu il se trouve totalement aliéné, incapable de décision et d'action.

Une secte marque aussi son emprise sur le plan financier puisque tout l'argent et les biens appartenant au malheureux « sous influence » doivent être abandonnés à son bénéfice.

Une famille amie, dont le fils a été kidnappé (il n'y a pas d'autre mot) par une secte, est restée sans aucunes nouvelles, coupée de toute communication avec lui pendant des mois. Ces amis ont décidé de monter la garde, avec des proches, devant la banque où ce garçon avait déposé son argent. Quatre mois après sa disparition, ils ont enfin pu le récupérer — de force il est vrai —, le faire soigner, le libérer — car il était venu accompagné, surveillé —, récupérer ses biens. Aujourd'hui, c'est un père de famille heureux, définitivement guéri de cette expérience !

Moi-même, j'ai reçu des menaces à la sortie d'une salle de conférences. On m'a lancé : « Ce que vous faites est honteux ! Vous donnez de la confiture aux cochons ! » Textuellement ! Par confiture, traduisez « ma causerie » et par « cochons », pardonnez-moi, ceux qui étaient venus m'écouter !

Pourquoi ? Parce que chez nous tout est gratuit, les malades aidés dans les groupes le sont gratuitement et, dans nos associations, ce sont les membres des groupes qui paient une cotisation permettant, au bout du compte, d'aider une malade, de faire appareiller un enfant myopathe, de soutenir des mères en détresse, etc. Alors que dans la plupart des sectes, les « remises en forme » sont chèrement payées, parfois jusqu'au dépouillement total !

J'ajouterai toutefois que bien des associations d'aide

sont parfois très injustement traitées de sectes. Comme aussi des religions dérivées de grandes religions plus connues et établies. Il faut bien réfléchir avant de taxer de secte un groupement, sous prétexte qu'il est minoritaire.

Si la liberté de conscience et de vie est respectée, si chacun garde ses convictions et peut opérer ses choix sans entrave, il n'y a pas « secte ». Il se peut ainsi que bon nombre de rassemblements appelés sectes, bien hâtivement, ne soient que la réunion de gens de bonne volonté.

VERS L'AUTRE RIVE

Quand l'Homme sera délivré de la mort
Un grand pas en avant sera franchi
Dans la joie de vivre.

Nous marchons
Tous les jours de notre vie
Vers l'essentiel.

Curieusement, les étapes de ma vie ont été rythmées par mon âge. Chaque étape a préparé la suivante. Il me semble parfois que j'ai vécu plusieurs vies en une seule.

Enfant, petite paysanne, j'ai appris l'essentiel. Tout ce qui vit, meurt un jour, pour renaître. La vie de la nature, les étoiles, les oiseaux, les animaux étaient mes amis. Les arbres qui perdent leurs feuilles à l'automne deviennent squelettes l'hiver, pour renaître verdoyants au printemps. Je vivais intensément avec cette forêt qui m'entourait. Mon cœur battait à l'unisson des saisons. Je ne le réalisais pas. J'écrivais des poèmes pour exprimer tout ce que je ressentais, incapable de le dire.

J'écoutais avidement les leçons, les chansons de ma mère. Quelquefois, elle était même poète. Elle savait nous faire vibrer, nous expliquant la beauté du moment. Par exemple, je me revois enfant, le nez collé à la vitre de la cuisine, seule pièce chauffée, regardant les premiers flocons de neige tomber. Maman chantait : « La neige tombe, tombe en miettes hécatombes, couvrant l'herbe et la tombe, et la maison qui dort. »

Je rêvais d'être curé ou médecin. On m'expliquait que ce n'était pas possible, parce que j'étais une fille (à l'époque, il y avait très peu de médecins femmes). Ce qui me rendait furieuse de ne pas être née garçon.

La guerre a éclaté dans ce joli ciel bleu. J'ai terriblement souffert. Première rencontre avec la mort, cruelle et inutile, la délation, la méchanceté. Notre région pleine de maquisards. La vie secrète. Les nuits agitées. Ma famille, comme beaucoup, impliquée avec tous ses moyens pour aider la résistance. L'armée de l'Ombre. Mon premier chagrin d'amour. Mes études d'infirmière qui m'ont fait connaître le face-à-face avec la souffrance. La mort d'êtres jeunes, qui mouraient sans savoir pourquoi. Les pourquoi ?

Mon Dieu, pourquoi ? Je ne savais pas. Je ne pouvais pas répondre. Première révolte devant le monde absurde.

Les résistants, les Allemands, tous ces combattants, parfois imberbes, avec ce même regard perdu, ces regards de gosses qui ont perdu leur mère. Je ne savais pas encore que ce n'est pas Dieu qui « fait » la guerre, mais les hommes, qui ont leur libre arbitre. Trop jeune pour assumer ce que je refusais de toute mon âme !

Dès que je l'ai pu, je me suis occupée d'enfants. Directrice d'une pouponnière, puis de colonies de vacances, j'ai commencé à récolter des enfants, comme d'autres collectionnent les images.

Suivit toute une période de vie avec mon mari, Daniel. Nous avons accueilli, bercé, aidé, élevé ces petits chiens perdus sans collier.

« Prendre un enfant par la main, prendre un enfant par le cœur », dit la chanson d'Yves Duteil. Nous savons comme c'est bon. Nous avons bercé les plus beaux enfants du monde. Chacun sait bien que toutes les mamans ont les plus beaux enfants !

Passons rapidement sur ces années où, dans un service bénévole annexe de justice, nous avons apporté notre aide. Ce qui a bien augmenté notre collection. C'était le temps du bonheur, de la vaisselle faite en chantant... Le temps des adoptions, des privations si bien acceptées. C'était le temps de l'amour !

Puis vint le temps des malades...

Et enfin, cette merveilleuse expérience spirituelle. Le contact avec le ciel, avec ces anges de lumière, qui a fait basculer notre vie dans un autre monde. Un monde invisible, mais si présent, que nous ne soupçonnions même pas ! Celui du silence, de l'étude, du partage, de l'austérité. Avec ses exigences, ses immenses joies. Il n'est pas de mot pour décrire l'extase du contact de la VIBRATION D'AMOUR.

Ces moments qui nous imbibaient d'une telle présence de Dieu étaient la récompense suprême. Nos efforts nous paraissaient dérisoires à côté de cette merveilleuse expérience. Des instants si heureux, accompagnés d'actes d'amour, tous les jours, sur le tas, à chaque instant.

Les exemples donnés aux enfants, le partage, la tolérance, et... les premiers cheveux blancs. Avec eux, le temps actuel. Tout doucement. Nous ne l'avons pas vu venir.

Comme la vie passe vite ! Comme il faut être vigilant ! Ne jamais remettre à demain...

Bientôt je partirai sans regret. En attendant cet instant, dont je n'ai pas peur, que je souhaite le plus tard possible, en bonne vivante que je suis, et parce que j'aime voir vivre et grandir mes petits-enfants, j'en arrive aux occupations actuelles. Elles pourraient s'appeler « aide au départ » pour la grande Aventure.

Dernière préparation du Grand Voyage, qui nous emmène au pays de la lumière, de la liberté, au pays de la non-souffrance, au pays où nous nous retrouverons tous un jour.

Être fidèle à ceux qui sont morts
Ce n'est pas s'enfermer dans sa douleur.

Il faut continuer de creuser
Son sillon droit et profond
Comme ils l'auraient fait eux-mêmes
Comme on l'aurait fait avec eux.

Martin GRAY

L'ACCOMPAGNEMENT

Depuis deux jours, elle dormait sous calmant. Tout d'un coup, elle a ouvert les yeux, m'a vue, m'a souri. Sa main s'est tendue vers la mienne. D'une voix très claire, très nette, elle a dit : « Maguy, je vous aime », devant sa famille présente. Puis paisiblement, elle s'est endormie, pour se réveiller dans la lumière, de l'autre côté du miroir.

J'étais récompensée. Je devais partir en vacances début juillet, mais j'avais sept malades que j'aimais, que je ne retrouverais peut-être pas !

Monseigneur me pressait d'aller le rejoindre, il voulait me présenter des amis. Mais je ne pouvais pas partir. C'est ça aussi l'accompagnement, aller jusqu'au bout, être là. C'était le 16 août, j'allais pouvoir me reposer, j'avais ma récompense. Et quelle récompense ! Une amie qui part dans la paix, dans l'amour ! Sereine.

Je fais maintenant une très grande différence entre celui qui rentre mourant à l'hôpital ou qui affronte une maladie grave, sans aucune préparation, surpris, si je puis dire, dans son parcours, et celui qui ne croit pas à la mort destructrice, mais à la mort libératrice. Le petit ordinateur que nous avons tous dans notre tête, là encore, doit jouer...

La mort se prépare tout au long de la vie. Elle est un acte naturel. L'homme qui croit à la survie de l'âme après la mort du corps est beaucoup plus serein.

Avec les immenses progrès de la médecine, de plus en plus de malades, d'accidentés, reviennent de ce qu'on appelle « le coma dépassé », l'expérience ADE, qui n'est pas autre chose qu'une sortie du corps, un dédoublement, un peu comme l'expérience d'un médium en état de transe profonde.

Le Dr Moody, qui a interrogé des milliers de malades, a consigné les expériences les plus marquantes.

Qu'ils soient chrétien, juif, musulman, européen, chinois ou Peau-Rouge, ils ont tous réagi de la même façon, l'expérience a été identique.

Les travaux du Dr Kübler-Ross, psychiatre suisse, qui fut la première à oser parler de la mort dans les hôpitaux, aux États-Unis — elle a même été critiquée, injuriée et traitée de sorcière par des croyants bien-pensants — ont largement contribué à divulguer ces expériences. C'est grâce à elle que sont nés les premiers centres de soins palliatifs qui commencent à essaimer en Europe.

Je vous conseille de lire ses ouvrages : *Mourir est un soleil, La Mort et l'Enfant,* ce sont des chefs-d'œuvre !

Le Dr Rithie, psychiatre américain, explique les réactions des malades revenus de très loin :

« C'était comme un cristal doré, d'une transparence inouïe qui rayonnait de lumière. Cette lumière était en fait de l'amour pur, je puis le jurer, plus vous l'approchiez, plus un sentiment d'amour incommensurable vous envahissait »... « C'est la marque du bonheur parfait. A côté de cet amour-là, toutes les autres valeurs pâlissent. Cette expérience se répercute sur notre vie de tous les jours. Avant, je marchais enfermé dans mon petit monde à moi, pensant à la foule de mes petits problèmes. Maintenant, quand je marche dans la rue, je me sens baigné d'un océan d'humanité. J'ai envie de connaître et d'aimer tous les gens que je croise. Un homme qui travaille dans mon bureau m'a demandé pourquoi j'étais toujours souriant. Je lui ai dit que j'avais failli mourir, et que j'étais heureux d'être encore vivant. Un jour, il trouvera sa propre réponse. »

... J'ai écouté et rencontré certains de ces ressuscités, l'un d'eux m'a raconté qu'après son accident de voiture, il avait vu son corps sur la route, les secours, mais quand il avait rejoint la lumière radieuse, plus rien ne comptait pour lui, même pas l'amour pour sa femme et ses enfants.

Aucune comparaison n'est possible, aucun mot ne peut décrire ce bonheur d'atteindre au but. Puis la souffrance du retour, terrible. La vie complètement changée (personne ne peut comprendre) et l'immense étonnement d'avoir « oublié un moment » sa femme et ses enfants qu'il adore. Ces témoignages sont tous identiques, exactement les mêmes mots que j'ai entendus, il y a plus de trente ans maintenant, par ceux qui avaient fait cette expérience et qui, eux, n'étaient pas revenus. Tous ces amis bienheureux qui sont nos guides, nos anges gardiens, peu importent les noms, disent tous que l'homme est si limité sur terre, qu'il est difficile, voire impossible, d'expliquer davantage.

Nous voilà donc revenus à beaucoup d'humilité. « Tu ne peux pas comprendre, il n'y a pas de mots humains pour expliquer notre vie dans le ciel. Tu comprendras après ta " délivrance ". En attendant, continue, et si tu es fatiguée, nous ne voulons pas le savoir. La récompense est si belle quand les actes suivent les discours. Les actes d'amour bien sûr », me dit Etty, mon ange de lumière.

UN MALADE EN PHASE FINALE

Quand j'entends cette formule, elle me dérange un peu. Un malade est d'abord un vivant, jusqu'au dernier instant. Tous les médecins, infirmières, soignants savent qu'un malade peut avoir une rémission extraordinaire. On lui donne trente jours au maximum..., il vit quelquefois dix ans, voire plus. La vie, la mort n'appartiennent qu'à Dieu. Quand on découvre qu'on est atteint d'une très grave maladie, il faut franchir plusieurs étapes. Selon le degré d'évolution spirituelle, elles sont très différentes. Aucun accompagnement ne peut être le même. Il faut être extrêmement prudent dans ses paroles, ses actes. Aucun malade, aucune situation n'est semblable.

Parfois, le malade, qui veut savoir, pose des questions pièges, et notre rôle, dans tous les groupes, est restreint. Nous ne devons prendre la place ni des professionnels, ni des familles, ni des religieux. Notre rôle doit toujours se limiter à la demande du malade, ou de sa famille, et si un malade, aidé par une équipe, rentre à l'hôpital, en clinique, etc., nous ne devons aller le voir que s'il en manifeste le désir. S'il a été suivi un an, voire davantage, dans un groupe et qu'il ne se manifeste plus, vous devez respecter son silence, sauf, bien sûr, s'il est seul et sans famille, mais à condition que, dès le début, une bonne mise au point soit faite. Le malade ne nous doit rien, ni argent, ni reconnaissance. Tout ce qu'il reçoit dans les groupes est gratuit.

Nous avions aidé et suivi durant deux années environ une jeune femme que nous aimions énormément. Pendant un séjour hospitalier, elle a été récupérée par un groupe religieux. Elle me téléphone un jour pour me dire qu'elle avait rencontré Jésus-Christ, qu'il la guérirait avant la fin de l'année, qu'elle nous remerciait bien, mais qu'elle n'avait plus besoin du groupe. Nous nous sommes immédiatement soumis et l'équipe qui l'aidait, c'est-à-dire lui faisait ses courses, l'emmenait chez le médecin, etc., a pris en charge un autre malade. J'ai appris qu'elle allait très, très mal, deux ans après. Nous prions pour elle, c'est tout ce que nous pouvons faire désormais. Nous n'avons pas à intervenir. Il faut que notre démarche soit extrêmement claire. Mais il y a tant et tant à faire...

Chaque homme est une question et une question hante chaque homme. Même ceux qui refusent de la laisser affleurer la conscience se la posent un jour : Quel est le sens de la vie ? Pourquoi moi, ici ? Pourquoi ce qui m'arrive ?... Et ces questions simples signifient toujours : Pourquoi la mort ?

Au temps de Pâques, au début du printemps, la question se pose avec plus d'acuité, d'insistance et, en même temps, trouve en partie sa réponse. Le printemps n'est-il pas le temps du re-nouveau, du réveil (re-éveil) de la nature après le froid et le long sommeil de l'hiver.

Il est coutume de faire des fêtes de Pâques le triomphe de la vie sur la mort, mais y a-t-il vraiment antagonisme entre elles, et faut-il vraiment les opposer ? La mort n'est-elle pas seulement une évolution de l'état de Vie, un peu comme une médaille qui, tournant sur elle-même, montrerait tantôt son côté pile, tantôt son côté face, mais ce serait toujours la même médaille... Et même notre vie, n'est-elle pas, justement parce qu'elle est vivante, une succession de morts... Des milliards de cellules meurent chaque jour dans notre corps pour être remplacées afin de maintenir en bon état nos fonctions vitales... Le fœtus meurt pour donner naissance à l'enfant. Le jeune homme enterre sa vie de garçon et tous les soirs ne mourons-nous pas au jour qui finit, pour renaître à celui du lendemain ? Chacune de ces morts pour un progrès, une évolution, une transformation de la vie. « La mort n'existe pas... tout se transforme... », dit la prière que nous a récitée Danièle, dans sa lecture au cours d'une réunion d'accompagnement. C'est juste. Mais pourquoi la maladie, la souffrance, la vieillesse ? A ces questions, il n'y a pas une réponse, mais des réponses. A chacun de trouver celle qui lui convient, et quel est le message qui lui est apporté à travers ses épreuves et leur répétition. « On ne se baigne jamais deux fois dans le même fleuve », dit-on. On peut le paraphraser, en disant : on ne souffre jamais deux fois de la même façon, ou on n'éprouve jamais deux fois la même douleur. Mais pourquoi, pourquoi... moi ?

Si le grain ne meurt, dit l'évangile, il ne rapportera jamais au centuple. Il faut qu'il soit broyé sous la meule pour donner la farine qui fera le pain ; mais pour être semé avec profit, pour donner de la bonne farine, le grain doit être mûr. Nos épreuves ne sont-elles pas nécessaires, indispensables pour nous faire mûrir ?

Lorsqu'on ne peut prendre un peu de distance vis-à-vis de sa vie, on s'aperçoit que rien n'a été gratuit, inutile, et que tout s'imbrique comme les morceaux d'un puzzle.

Que je suive un chemin si tortueux, que je subisse dans mon corps et dans mon cœur telle et telle épreuve, peut-être à cause de la part de liberté qui m'était laissée, mais alors pourquoi cette liberté qui me fait souffrir ?

La question reste posée, mais je sais qu'il fallait qu'il en soit ainsi. Je n'aurai la réponse que lorsque je serai passée de l'autre côté du miroir.

UN CYCLE INÉLUCTABLE

Entre les deux, la vie d'un homme sur la terre, dans les siècles passés et à venir : un éclair ! Mais combien important. La mort est la conséquence logique de la naissance, comme dirait M. de La Palice. Tout ce qui vit sur la planète, inexorablement, meurt un jour ; c'est l'ultime étape qui se prépare toute la vie.

Un homme trop matérialiste, qui ne se préoccupe que des lois terrestres, oublie les lois célestes ; et même celui dont l'évolution spirituelle est certaine, s'il tourne son regard vers le ciel, ne connaît qu'une infime parcelle de la Vérité. La parcelle que Dieu voudra bien lui confier et qui ne peut être que limitée. Sur terre, nous ne pouvons ni tout comprendre ni tout savoir. Mamie disait : « Il n'est pas de mots pour t'expliquer cela. »

Les jugements sévères peuvent bloquer l'évolution ;

même l'accès à l'entité totale ne nous laisse percevoir qu'une facette de vie. L'homme, souvent, ne connaît pas ses possibilités, ni ses limites. Dans certaines situations, en période de guerre par exemple, l'occasion peut faire naître un héros, les circonstances obligeant à un cœur chevaleresque. L'occasion qui fait le larron, en quelque sorte.

Tous nos actes ont des conséquences dont nous subirons longtemps, très longtemps, les conséquences. D'où l'utilité de la psychothérapie qui permet d'éliminer certains mécanismes de répétition en en prenant conscience. Il n'est pas d'acte honteux si nous n'en sommes pas vraiment conscients, chaque chute peut être une leçon et un départ pour une vie plus riche. Il n'est pas condamnable d'agir si on ne comprend pas la gravité d'un acte, mais il est honteux de renouveler plusieurs fois le dérapage. D'ailleurs, le vrai sens du mot *hamartia*, en grec, qu'on a traduit par péché, signifie en réalité « être à côté de[1] »...

Lorsque vous aimez sans condition, lorsque vous pardonnez du fond du cœur, la joie vous envahit et votre « moi intérieur » est serein. Votre confiance en vous n'est que dans l'acte généreux du don d'amour, sans retour. A ce moment-là, vous êtes tout près de cet amour, de Dieu, qui, Lui, pardonne sans condition aux cœurs purs. Ce Dieu unique d'amour et de sagesse, quelle que soit votre religion. Je crois sincèrement que l'amour et le pardon sont les bouées de sauvetage indispensables à notre évolution. Ces actes d'humilité, d'amour et de pardon, quelles que soient nos fautes ou

---

1. *Cf.* David Bohm, *La Danse de l'esprit,* éditions Seveyrat, 1989.

nos erreurs, sont les éléments indispensables à notre progression. Ils nous ramènent à la respiration divine.

Nous sommes tous imparfaits, mais l'amour donné et reçu peut guérir les imperfections dans la mesure où notre don est gratuit, totalement gratuit, au bénéfice de l'autre. A mesure que certaines connaissances nous pénètrent, nous nous détachons de bien des choses. Les valeurs ne sont plus du tout les mêmes. C'est pour cela que je crois très sincèrement, très profondément, que l'amour et la tolérance peuvent apporter la paix, avec la joie, dans les âmes. La Loi de Dieu, la grande Loi qui régit les hommes et les univers, ne se situe pas au niveau de l'intellect, ni des théories plus ou moins élaborées, ni dans des techniques, des discours, ni dans des universités, encore moins dans des religions, mais elle se situe dans le cœur. Elle se situe dans le petit acte généreux de tous les jours, celui qu'il nous est possible de faire à chaque instant de notre vie pour tous ceux que nous aimons, et surtout... pour tous les autres.

LA MORT DOUCE

Si notre mort était préparée comme un phénomène naturel, ceux qui restent ne connaîtraient peut-être pas cet état de révolte, de culpabilité qui fait tant souffrir.

Le sentiment de « mort-punition » est inutile. Et pourtant... Il est relativement facile d'expliquer, de comprendre. La Bible est truffée d'exemples où des anges sont venus sur terre aider les hommes.

Pourquoi ne le feraient-ils pas aujourd'hui ? Si l'opportunité s'en présentait... Pourquoi occulter des faits capables de soutenir les humains ?

L'homme qui crie sa révolte ne demande qu'à comprendre... et espérer. Ainsi, cet ami...

« Votre livre *Médecins du ciel, Médecins de la terre* est magnifique. Il m'apporte réconfort et espoir. Il m'a remué, fait poser des questions. J'ai perdu la foi depuis longtemps, mais je crois en ce que vous dites. Je vais essayer de changer, de prier à nouveau et de retourner à l'église. Je vais tenter d'être moins égoïste. J'ai perdu beaucoup d'êtres chers. J'ai jugé leur disparition injuste et révoltante, mais je comprends maintenant qu'ils vivent et me protègent. Je sens ma douleur s'apaiser.

« J'espère, en changeant mes attitudes, arriver à retrouver une foi agissante. Je veux prendre le chemin de l'amour et du don de soi et, un jour, être digne de vous rencontrer. » Cette lettre n'est que le reflet de milliers d'autres.

Combien d'humains sont en état de révolte après la disparition d'êtres chers. Le deuil est vécu comme une profonde injustice.

Nous sommes ainsi faits que la séparation est toujours une déchirure, que nous avons toutes les peines du monde à accepter de ne plus jamais revoir les êtres aimés et perdus, oubliant en cela que ceux qui s'aiment se retrouvent, toujours, de l'autre côté.

Il faut pleurer mais non se révolter. La révolte nous sépare d'eux comme un mur de béton. Celui qui se retrouve dans la lumière de Dieu est triste et impuissant à communiquer son bonheur, sa libération à celui qui, sur terre, le croit mort, perdu à jamais, et non bien vivant.

J'ai vu des malades entrer vivants dans la mort, préparer avec confiance l'après. Françoise, par exemple, a rédigé ce message, à lire pendant la cérémonie religieuse. Il a été lu en l'église de la Chaussée-Saint-Victor, le 17 mai 1989, deux mois après avoir été écrit.

« Ne pleurez pas, je suis là avec vous, je vous vois. Mon petit corps reste sur terre, il a terminé sa mission. C'est la loi de la nature, mais mon corps astral s'envole dans l'au-delà pour continuer son élévation. Car, rien ne s'arrête, tout continue, tout ce qui meurt renaît. Je suis prête pour le voyage au terme duquel je suis attendue.

« Ma vie fut jonchée de fleurs, avec quelques épines, mais vite adoucie par l'amour et l'amitié que j'ai toujours connus depuis ma naissance, avec la grâce de Dieu. Cet amour reçu, donné, c'est cette grande chaîne fraternelle dont j'ai toujours rêvé. »

« Piou », venue me rencontrer un jour avec son mari pour parler de son départ, de retour chez elle, a tenu à faire imprimer :

> « Je vous aime tous
> Je pars et pense à vous
> Je suis préparée
> Aimez-vous tous. »
>   Piou.

Sur le verso de la carte, une photo d'elle, souriante pour tous ceux qu'elle aime, « pour laisser une belle image d'elle ».

C'est aussi la dame âgée du groupe de Grenoble, atteinte d'une douleur fulgurante à la poitrine, qui dit à sa famille présente :

— Je vais mourir.

— As-tu peur ?

— Oh, non ! Je suis prête. Je vous aime tant que, de là-haut, je vous aiderai.

217

Pendant que sa fille, après l'avoir allongée, appelait le médecin, elle a rajouté :

— Ma dernière volonté… Peux-tu faire inscrire sur ma tombe : « Dieu est amour, c'est l'amour infini » ?

Après avoir dit quelques mots inaudibles, comme si elle parlait avec un personnage invisible, elle est partie, sereine.

Il est, à mon avis, une grande différence entre l'homme qui prépare son départ toute sa vie avec philosophie, et celui qui est fauché en pleine course, qui se retrouve à l'hôpital pour guérir à tout prix, quel que soit son âge.

Comment faire au niveau des groupes d'accompagnement, des familles, des amis, pour essayer de faire accepter le mieux possible cette situation douloureuse ?

Je vais vous expliquer ce que, depuis bientôt quarante ans, j'essaie d'apporter aux grands malades, avec les moyens que Dieu m'a donnés, ceux que les médecins du ciel m'ont enseignés.

Plusieurs étapes se présentent.

LES ÉTAPES
FACE A LA MALADIE INCURABLE

— *Première étape : La révolte*

Pourquoi ? Mais pourquoi ? Qu'ai-je fait au bon Dieu ? Ce n'est pas possible !

Bien souvent, c'est un refus total, et il est bon de laisser le malade parler, crier sa peine, son désespoir. Il faut savoir l'écouter, être présent s'il en a envie. Le médecin fait de son mieux, mais il n'a pas toujours le temps, dans son cabinet ou à l'hôpital, de se pencher longuement sur chaque cas.

La maladie peut être perçue comme une punition. Si à ce moment-là vous avez la possibilité de réconcilier le malade avec lui-même, avec sa source, avec sa religion, s'il l'a perdue, vous pouvez l'aider. Le pardon, la réconciliation sont des éléments extrêmement positifs, je dirais presque curatifs. Mais là encore, beaucoup de prudence : n'intervenez qu'à sa demande ; s'il vous en parle, si un regret perce dans son discours.

Une maman fâchée avec son enfant, qui souffre, peut avoir une grande joie à le retrouver. Ce n'est pas à vous de faire la démarche, soumettez-la à un membre de la famille. Demandez au malade d'en parler à son médecin, par exemple.

Le marchandage peut s'installer. Je veux vivre six mois, voir le mariage de ma fille, la naissance du bébé, etc. Bien souvent, la volonté, la force de ce désir, et peut-être la grâce divine font que cela arrive.

— *Deuxième étape : L'acceptation*

Le plus souvent, elle suit le désir de guérir. Il faut, à ce moment-là, réveiller les forces de guérison que notre malade possède en lui. Sa venue dans le groupe, la prière, la force de la pensée, la puissance de la chaîne des mains, la force inimaginable de la prière du groupe lui apportent l'espérance. Il perçoit, dans cette puissance d'amour considérable, l'aide du ciel. Il sait très bien que les médecins du ciel, invisibles, mais présents, vont le prendre en charge. Si des ennuis d'argent se présentent, le groupe est là pour l'aider matériellement.

Dans chaque malade, une dualité très forte perce à mesure que la maladie évolue. Une partie de lui-même sait qu'il va mourir, c'est la partie spirituelle, et une autre veut guérir, c'est le corps physique.

— Troisième étape : L'apaisement

Notre malade est devenu notre ami, mais attention, vous ne pouvez l'aider que si certaines formes sont respectées. Si vous vous « liez » trop, si trop d'intimité s'installe entre accompagnant et accompagné, vous ne pourrez plus faire grand-chose. Gardez toujours la barrière du respect. Sachez que vous êtes toujours là, grâce au don de vous-même, et si vous apportez de temps à autre votre sourire et votre fleur, n'acceptez jamais cadeau ou argent. Ce que vous donnez est absolument gratuit. N'oubliez jamais que, si vous appartenez à un groupe, vous êtes là au nom du groupe, et votre conduite peut rejaillir sur tous. Vous n'êtes que des instruments du Seigneur, de l'Amour. Soyez de bons instruments.

La famille, souvent, refuse de parler de la mort. « Tu vas guérir, tu dis des bêtises. » ... Tel est le leitmotiv répété souvent par les proches du malade qui sait, mais ne veut pas peiner les siens. C'est une situation de tension et de mensonges qui, souvent, fait souffrir, angoisse.

La question m'est de plus en plus souvent posée : « Maguy, dites-moi, est-ce que je vais mourir ? »

Je ne peux répondre oui ou non. Je ne sais pas, la plupart du temps. Mais le malade doit affronter sa peur. Je ne peux que dire :

— Sûrement un jour, et moi aussi. Nous mourrons tous, pourquoi cette question ? Vous avez peur de la mort ?

— Oui, oh, oui ! J'ai très peur, j'ai la trouille. Maguy, aidez-moi à mourir, si je le dois.

Il faut en parler simplement. Avec tous les documents publiés aujourd'hui, il est devenu facile de parler des travaux de tous ces médecins, de toutes les expériences faites dans ce domaine, de l'Être de lumière, etc.

Je parle au mourant d'Etty, de la preuve de survie extraordinaire qu'elle m'a donnée, de sa vie, de sa mort, de sa manifestation, de sa famille que j'ai connue après son contact avec moi.

La prudence doit être de règle, ainsi que le respect de la religion du malade quelle qu'elle soit. Bien souvent, le départ se fait alors en douceur, avec le sourire.

Je pense à Adrienne, très jeune encore, qui vient de partir d'un cancer. Elle a eu la chance d'être hospitalisée à Grenoble, dans un service plein d'humanité, où les malades sont calmés et aidés, dans tous leurs besoins. Elle était chrétienne, très croyante, nous l'avions aidée à quelques réunions. La dernière fois que je l'ai vue, assise, calée par ses oreillers, ne pouvant presque plus parler ni respirer, son sourire radieux m'a illuminée longtemps. Je sens encore sa main dans la mienne, pour une ultime prière ensemble, et la lumière de ses yeux, plantés dans les miens, où brillait la paix totale.

Après le départ, pour la famille, vient le temps du deuil, et pour beaucoup, le temps du remords, de la culpabilité. Combien sont nombreuses ces lettres qui me disent : « Maguy, je n'étais pas là. Si j'avais su ! Il est mort trop vite, je n'ai pas eu le temps de lui dire que je l'aimais. J'étais fatiguée, je ne pouvais plus. Je n'ai pas été gentil, etc. »

Et d'autres, à travers lesquelles perce la révolte : « Si Dieu existait... mon mari, ma femme, trop jeune. Je suis seule avec de petits enfants. Jamais plus je ne prierai, etc. » Devant ces océans de souffrances, il y a un échec quelque part, une ignorance terrible.

La mort est la conséquence de la naissance, la mort

du corps physique bien sûr. Quand votre habit est trop usé, vous le jetez ! Comme un objet abîmé, cassé, broyé ou usé, est rejeté ! Mais tous les autres corps vivent, et votre parent mort est bien plus vivant que vous. Il est normal de pleurer l'être cher, Dieu nous a créés ainsi. Les larmes sont salutaires. N'ayez pas honte de pleurer, ça fait du bien.

Je me souviens des larmes que j'ai versées lorsque j'ai perdu les miens, et pourtant je savais. J'avais, à l'époque, des nouvelles d'eux. Mais on est attaché à son ami, son parent, son voisin, et lorsqu'ils partent, le cœur est trop gros. Il est bon de le soulager avec des larmes. Mais de là à la révolte, il y a de la marge ! Imaginez sa peine, son chagrin, sa douleur — lui qui est dans la lumière, dans le bonheur — de vous voir ainsi. De plus, vos vibrations sont si basses, et les siennes si élevées, que même s'il voulait vous faire un signe du ciel, il ne pourrait pas. Vous empêchez toute communication entre lui et vous.

Dieu ne sépare pas ceux qui s'aiment, vous les retrouverez un jour, et j'ajoute, pour ceux qui croient à la réincarnation, que ceux qui s'aiment s'attendent, et progressent ensemble. Mais en quatre ans, j'ai entendu tant et tant de stupidités sur ce sujet, que j'ai, moi aussi, progressé dans ce domaine, du moins je l'espère.

Si vous n'étiez pas là au moment de la mort, peut-être l'a-t-il voulu pour vous épargner, par amour. Il est des départs où le corps est agité de soubresauts nerveux, alors que l'âme est détachée, et les familles croient qu'il s'agit de souffrance, et en restent marquées longtemps.

De toute façon, vous le retrouverez un jour ou l'autre. Il vous tendra les bras. S'il peut vous envoyer un signe du ciel, il le fera, par, et dans la prière, à travers un rêve, une manifestation.

222

Beaucoup d'autres exemples, confortant ces dires, vont suivre, au gré des pages qui vont suivre... Énormément de familles ont été réconfortées, consolées, mais il ne peut « techniquement » se produire de phénomènes, à mon avis, que dans certaines circonstances. Il suffit que des vibrations soient plus rapides, plus éthérées, si je puis dire, et que l'espérance habite votre âme. On ne fait pas passer de courant électrique de 220 V dans une ampoule de 100 V. Il faut créer un accord favorisant un certain climat.

Je ne vous conseille point d'aller voir un médium. Les choses se font d'elles-mêmes, si elles doivent être, si Dieu le permet ! Ne vous faites pas escroquer pour entendre parfois des sottises. Bien que certains médiums fort heureusement soient très honnêtes, mais ceux-là ne vous permettront jamais un contact direct entre vous et votre disparu.

LES ENFANTS DE LUMIÈRE

Les enfants de lumière
Passent sur la terre
Comme des étoiles.

Ils viennent sur terre quelques jours, quelques mois, quelques années. Ils passent comme des étoiles, laissant derrière eux un sillage de lumière... et d'amour.

Ils bousculent la vie de familles entières, provoquent des questions.

Ce sont des exemples de courage, de sagesse, de grandeur.

Je les appelle les enfants de lumière.

Nous en avons accompagné quelques-uns. Nous les avons aimés.

Nous en accompagnerons encore et encore.

Nous les aimerons d'un amour inconditionnel.

Nous admirons leur sagesse et leur courage, et nous pleurerons de toutes nos larmes, de tout le chagrin de nos âmes, lorsqu'ils repartiront dans leur vraie patrie.

MON ENFANT DE LUMIÈRE [1]

Mon cœur noyé de désespoir
La nuit, le jour, tout était noir
De mes yeux ont coulé des rivières
Mais aujourd'hui, il vit j'espère

Dans l'oiseau qui chante au soleil
Dans le vol gracieux d'une abeille
Dans les nuages bleus du ciel
Il vit, il vit, quelle merveille

Mon enfant de lumière   Refrain
S'en est allé un jour   bis
Il a quitté la terre
Pour l'univers d'amour

Dans le parfum de chaque fleur
Dans le sourire du bonheur
Dans l'espérance de nos pleurs
Il vit, il vit dans mon cœur

Dans l'amour pas de frontière
La mort n'est pas une barrière
Nous sommes unis par la prière
Il vit mon enfant de lumière

Mon enfant de lumière   Refrain
S'en est allé un jour   bis
Il a quitté la terre
Pour l'univers d'amour

Il a quitté la terre
C'était un enfant de lumière

---

1. Paroles de Maguy LEBRUN. Musique de Dominique PASSA-
ROTTO.

Je vous livre les témoignages qui vont suivre, comme je les ai reçus, dans leur grandeur, dans leur espérance, dans la souffrance, dans la déchirure horrible que peut être, pour des parents, la mort d'un enfant.

Que ce soit des lettres reçues, des expériences vécues dans les groupes, ou au sein de nos familles, je ne me sens que le droit et le devoir, dans ces récits vrais, noyés de mes larmes, de faire passer ce qui me semble être un réconfort, ou une lueur d'espoir, pour d'autres papas, d'autres mamans, qui ont vécu, ou qui vivront la pire épreuve que nous puissions avoir à affronter sur terre : le départ d'un enfant.

« Je suis médecin. Un ami, médecin également, m'a prêté votre livre. Je vis dans une terrible angoisse. Ma fille a une tumeur maligne au cerveau, de la grosseur d'une orange. Les médecins baissent les bras. Elle est de plus en plus fatiguée, et je vois les progrès du mal. Chaque jour, je la prépare en répondant à ses questions sur la mort. J'apprends à mes enfants que la mort est une transformation vers une vie plus belle auprès de Dieu.

« Cette nuit, elle a eu un cauchemar, puis elle m'a raconté le rêve d'avant. Elle était dans un beau jardin, avec des amis, et participait à une belle fête. J'ai reçu ce message comme un témoignage d'espoir en une vie dans l'au-delà. Dois-je accepter qu'elle parte ? Dieu veut-il m'éprouver ? Pouvez-vous me répondre ? »

Combien de lettres de ce genre m'ont fait pleurer, m'ont laissé ce goût amer d'impuissance. Je suis tout à fait de l'avis du Dr Kubler-Ross. Ces enfants de lumière sont porteurs d'un message. Ils savent qu'ils ne resteront pas. Leur court passage sur terre laisse une plaie inguérissable chez leurs parents, et pourtant... Ce sont des anges qui ne sont pas faits pour vivre avec nous. Ils ont obtenu leur libération plus rapidement que nous. C'est souvent une fin de parcours terrestre. Quoi qu'il en soit, ils sont bien vivants dans leur corps de gloire.

Josette

« J'ai perdu une petite fille de sept mois. A sa naissance, un immense bonheur. Après sa mort, une horrible douleur.

« Mon comportement perturbe les miens, mais je souffre trop, je ne peux pas admettre que mon bébé rieur soit dans la terre et ne soit plus rien. Elle dormait dans sa chambre, nous l'avons retrouvée morte, froide, étouffée, étranglée. Mon sentiment de culpabilité de n'avoir rien entendu me rend folle. On m'avait conseillé, pour le rythme du sommeil du bébé, de la laisser dormir seule dans une chambre. J'aurais dû la garder, suivant mon instinct maternel, près de moi.

« Mon premier enfant est malentendant. Pourquoi tout cela ? Pour évoluer, paraît-il… Voir mon enfant souffrir ? Voir mon enfant, qui est extrêmement gentil et sensible, ne plus pouvoir entendre le chant des oiseaux ? Je veux bien croire qu'il faut accepter la souffrance, qu'il y a une raison à tout cela, mais à condition d'avoir une preuve irréfutable que ma petite fille vit sur un autre plan.

« Je n'arrive pas à ouvrir mes volets. La nature, le soleil n'existent plus. Je pleure et regarde la terre froide et mouillée, mon enfant à jamais enfermé dedans. Quelle horreur ! Quelle impuissance !

« Mais je vais vous confier quelque chose qui, tout en m'effrayant, m'a énormément soutenue dans mon chagrin. Le jour du décès de l'enfant perdu, après l'avoir retiré de sa chambre, il s'est passé un fait étrange : Mon mari est venu prendre quelques affaires. Nous étions partis dans la famille. Le dispositif, très solide, de l'intérieur du volet était écroulé. Deux gros boulons étaient enlevés du côté où était son lit. Impossible que ce soit un cambrioleur, rien n'avait été volé. Nous avons retrouvé les supports en fer, mais pas les boulons. Nous avons pensé que notre fille nous avait peut-être laissé ce signe d'adieu afin que nous ne perdions pas notre foi.

« J'ai beaucoup prié pour avoir une preuve de survie. Après ce fait étrange, il y a eu autre chose. Vous allez penser, Maguy, que je ne suis pas bien. Cinq mois après, en revenant de faire des courses, je me gare devant la maison pour ouvrir la porte. En retournant à la voiture, je vois un des boulons posé sur le capot de ma voiture. Pétrifiée, je le prends, le pose sur le bahut dans l'entrée, où mon mari le voit dès son retour. Il grimpe tout de suite à l'étage et descend en disant :

— C'est bien le boulon du volet.

« Quelque temps après, j'ai trouvé le deuxième à mes pieds, près de la porte, un jour où je sortais. C'était extraordinaire, presque un an après le départ de mon bébé.

« J'ai été bouleversée. Pourquoi cela ? Que s'est-il passé, comment interpréter ces manifestations ? Je me suis rappelé, alors, qu'à la mort de ma mère, l'ampoule de sa chambre a fait un feu d'artifice avant d'éclater. J'ai parlé à beaucoup de gens, à des prêtres, qui m'ont dit : " C'est quelqu'un qui vous veut du mal. "

« Et ce pouvoir maléfique avait pris ma fille. Je ne sais plus que penser. Aidez-moi, un doute m'envahit. Je n'ai pas votre foi. J'ai besoin de preuves " concrètes ". Pour moi, les boulons en font partie. Puis-je essayer de communiquer avec ma fille, écriture automatique ou autre, est-ce prudent ? »...

Voilà une maman qui a beaucoup prié pour avoir une preuve.

Dieu, dans sa pitié et son amour, lui envoie un signe du ciel, très matériel bien sûr, et très rare certainement. Mais ne dit-elle pas, elle-même : « J'ai besoin de preuves concrètes. » Ces signes du ciel sont peut-être placés à notre niveau, selon notre évolution, notre niveau vibratoire.

Communiquer avec votre enfant, chère maman, ne peut se faire que dans, et par la prière. Dans toute autre forme, vous pourriez être égarée ou déçue, voire trompée. Il faut être prudente. Le temps, l'envie d'autres enfants panseront la blessure. Soyez bien certaine que vous la retrouverez dans la lumière et le bonheur. En attendant, elle veille sur vous et votre petite famille.

Quentin

« Votre livre, Maguy, m'a bouleversée. Au début d'octobre, mon quatrième enfant, mon petit Quentin, un merveilleux bébé, très beau, très sage, est mort le jour de ses six mois. Il avait grandi sans problèmes jusque-là. Nous vivions dans un grand bonheur, nous étions fiers de notre belle petite famille et de ce bébé parfait qui posait sur le monde des yeux pleins d'une grande sagesse et d'une grande gaieté.

« Nous l'appelions le " Petit Prince ". Il était un DON dans sa façon de vivre. Tout a basculé le lendemain de son baptême. Il s'est déclaré une diarrhée qui ne s'est plus arrêtée ! Elle a duré trois semaines, sans que les médecins parviennent à le soigner, sans découvrir la cause de sa maladie. Après quinze jours d'hôpital, il est mort d'une septicémie, épuisé par cette horrible diarrhée, et ce matin-là, *je n'étais pas auprès de lui.*

« Quentin était un bébé-surprise dans tous les sens du terme. C'était une grossesse sur stérilet, et j'ai mis quelques mois à accepter son arrivée et à bousculer tous nos projets pour l'accueillir. Mais quand il est né, au terme d'une grossesse difficile, nous avons vécu en harmonie totale. Il était la joie de vivre, la joie et la fierté de son père, des enfants, comme si ce " petit miraculé de la vie ", toujours content de tout, voulait être le plus facile possible pour se faire pardonner d'être venu sans notre permission.

« Je disais en riant : " Ce petit bonhomme aura un destin particulier. " Dans mon esprit, il était là pour la VIE, la VIE à vivre pleinement. Il nous apportait tant d'amour et de lumière.

« Quelle horrible souffrance, Maguy ! J'ai été révoltée, désespérée, ma vie perdait une partie de son sens, mais j'ai surtout regretté ces quinze jours d'hôpital, où il a subi " pour rien " tant d'examens, tant de souffrances, pour rien, parfois sans notre présence.

« Sa sagesse, son calme, son courage avaient beaucoup surpris le personnel de l'hôpital. Mais j'étais moins forte que lui, et je savais, quelque part en moi, que mon Quentin allait partir, malgré les paroles rassurantes des médecins.

« Après sa mort, nous avons passé des heures auprès de son corps dans son petit berceau. Quand nous étions près de lui, nous étions apaisés, comme " vidés " de notre souffrance. Nous avons ainsi eu le temps de nous détacher de son petit corps et de comprendre que son âme l'avait quitté. Cela m'a permis d'accepter qu'on le

230

mette en terre. Quelle folie pour une maman de devoir accepter de se séparer d'un être qui fait presque encore partie d'elle-même.

« La lecture de votre livre m'a donné beaucoup, beaucoup d'espoir. Je sais que je l'ai lu avec Quentin. Il ne quittait pas mon esprit, se devinait entre chacune de vos lignes. J'y ai puisé un peu d'apaisement. Quelle chance vous avez eue, Maguy et Daniel, de percer un petit peu le mystère de la mort. Comme je vous envie ! La mort était-elle une naissance à la Vie de Dieu ?

« Pourvu que le ciel ait été aussi heureux d'accueillir Quentin, que nous sur la terre ? Votre livre, plein de sagesse, d'amour, et surtout de tolérance, a été un vrai message d'espoir. Ainsi tout a une raison. Quentin n'est pas venu au monde inutilement, pour rien. Je ne veux pas que ma souffrance soit plus grande que la joie qu'il m'a donnée. Je me bats maintenant, tous les jours, pour être encore heureuse, pour vivre mon rôle de femme, de maman, d'épouse.

« J'ai beaucoup pleuré en lisant votre chapitre sur les malades, car je ne vous connaissais pas, à l'époque de la maladie de Quentin. Je vous aurais alors téléphoné. J'ai l'impression d'avoir " raté le coche ". Un jour, à l'hôpital, j'étais très angoissée. Je cherchais à faire quelque chose. J'ai mis mes mains sur son ventre. Je me suis concentrée pour lutter contre sa maladie, pour lui donner mon énergie, mais à ce moment-là, je n'ai pas pensé à prier. Quelle présomption de ma part !

« Je voudrais vous rencontrer. Vous êtes pour moi un trait d'union entre le compréhensible et l'incompréhensible, entre l'amour des hommes et l'amour de Dieu. J'aimerais découvrir la force de la prière, je ne sais pas prier, ni offrir ma souffrance pour d'autres êtres... »

Aujourd'hui, j'ai rencontré la maman de Quentin, jeune femme guérie par la naissance d'un autre enfant.

Elle m'a autorisée à divulguer sa lettre et les étapes de sa souffrance à toutes les mamans qui ont connu, ou connaîtront, peut-être un jour, l'horrible déchirure qu'est la mort d'un enfant.

Il vaut mieux raconter les faits tels qu'ils sont. Souvent, les mots sont creux et vides de sens devant une telle épreuve. Voilà pourquoi le silence est recommandé lorsque nous tendons la main. Ce silence de l'accompagnement est parfois plus fort que toutes les phrases de consolation.

Quentin, petit enfant de lumière, accueillera, un jour, dans son pays qui est le nôtre, celui où nous irons tous, ceux qu'il a quittés momentanément sur terre.

Abel

J'ai rencontré la tribu Combes à La Sérénité. Je dis bien tribu.

A Grenoble, on nous appelle souvent la « Tribu Lebrun », mais les Combes-Lemarie, qui ont adopté tant d'enfants, ont tout de même une particularité. Leurs enfants sont tous des « handicapés heureux ».

Au pied du Mont-Saint-Michel, dans cette Bretagne, terre d'accueil pour eux, La Sérénité, leur maison, respire la joie, la poésie, le bon pain chaud, le rire des enfants et une certaine musique du ciel... Cela vaut la peine d'aller voir !

Tous les enfants portent un prénom commençant par A, comme Amour.

Laurent

Voici un texte que Laurent, adolescent, a écrit trois jours avant sa mort, après une nuit de souffrance, de douleur et d'illumination. Il était accompagné par les amis d'un groupe.

« Bien avec vous.

« J'ai découvert la vie, l'esprit, la vérité.

« J'ai découvert des rires, des délires, des rêves passés, des cauchemars oubliés.

« Au travers d'une seule nuit, où l'espace et le temps se sont brouillés, où tout s'est unifié, plein et vide en même temps, au même moment.

« Une sphère a pris possession de moi.

« A effectué ma transformation, mon immédiate réconciliation et m'a laissé entrer dans une autre dimension, celle de la plénitude et de la béatitude. »

Nam

« C'est dur d'accepter la mort, surtout celle d'un enfant. Dans l'ancien Viêt-nam, une complainte disait pour exprimer cette détresse : " Les feuilles jaunies sont encore sur l'arbre, mais déjà la feuille verte tombe... Seigneur du Ciel entends-tu ma douleur ? "

« Cependant la disparition de notre fils nous laisse entrevoir, à nous, ses parents, beaucoup de choses à la fois, tant de misères, matérielles, physiques, morales, mais aussi tant de grandeur : solidarité, dévouement, amitié. Beaucoup d'amis nous ont écrit des lignes émouvantes et belles, il serait impossible de les énumérer toutes. Nous ne citerons ici que celles de Maguy :

" Nam fait partie de ces enfants de lumière qui

apportent leur message d'amour et d'espérance, qui bouleversent ceux qu'ils rencontrent et laissent une empreinte dans les cœurs et les âmes. Dans ce monde de vie et de lumière, où il est, il nous aidera. "

« Mais à tous, sachez que vos lignes sont à jamais gravées dans notre cœur et qu'elles accompagnent Nam et l'aident à monter plus haut. Soyez-en remerciés.

« Il n'y a pas si longtemps, la télévision repassait le film *Amadeus ou la vie de Mozart*. Nous pensons à cette triste fin d'un génie (jeté à la fosse commune, accompagné — dit la légende — de son seul chien) et nous nous réjouissons que Nam ait eu plus de chance. Il a été entouré d'amis chers, de prières, d'amour, et accompagné par un groupe de Paris. »

Alexandre

« Alexandre, notre fils de dix ans, a quitté la terre brutalement... C'était un enfant très sensible, plein d'humour, rempli d'amour et de lumière, attentif aux autres, désireux de faire plaisir et d'aider. Né juif, très croyant, il vivait dans une recherche spirituelle continue. Cet enfant juif priait pour Hitler. Dans des conflits mineurs, il me disait : " Maman tu as tort, parce que toi, tu as la foi. "

« Votre livre, Maguy, à la mort d'Alexandre, m'a beaucoup aidée. Je le feuillette souvent. Il me permet d'accepter la séparation et lui donne un sens.

« Alexandre avait écrit dans un carnet : " Le hasard n'existe pas. C'est le nom que prend Dieu pour passer incognito. " »

Alexandre est un enfant de lumière. Dans toutes les religions, tous les milieux, ces enfants viennent et repartent, laissant un sillage lumineux derrière eux.

Devant la terrible souffrance que déclenche la plupart du temps la perte d'un enfant, toutes les mères du monde se ressemblent, qu'elles soient juives, chrétiennes, musulmanes ou autres. Elles pleurent l'enfant parti et essaient de comprendre, mais qu'elle sachent bien, toutes, qu'elles le retrouveront.

Samuel

> *Demain existe puisque la Vie continue.*
> *La main de Dieu n'a pas cessé son mouvement.*
> *Elle écrit avec nous l'éternité, en lignes courtes ou longues jusqu'aux virgules, jusqu'au point le plus imperceptible, ce livre qui n'aura son sens que lorsqu'il sera fini.*
>
> Charles PÉGUY.

Mystère de la Vie
Mystère de la Mort
Alex tu nous souris
Samuel pour toujours s'endort

Immense bonheur d'abord
D'un profond malheur sitôt suivi
Révolte, Désespoir, dès lors
Mais messages en série
Nous invitent à reprendre goût à la Vie
Pour tous ces témoignages d'amitié
A vous tous, un grand merci.

J'ai rencontré les parents d'Alex et de Samuel, en Suisse, avec une immense émotion. Nous avons eu la chance de prier ensemble, dans un temple, qu'un pasteur avait mis à notre disposition. J'ai été impressionnée par leur courage et leur dignité.

Samuel a été tué dans un accident de voiture. Il avait cinq ans. Alex venait d'arriver. Il n'avait que dix jours !

Caroline

Un jour, lors d'une réunion de prières, est arrivée une famille qui avait traversé la France, pour nous amener une petite Caroline, atteinte d'une leucémie. La greffe de moelle n'avait pas pris.

Nous avons prié tous ensemble pour ce beau petit ange. Le lendemain, je suis allée voir la maman à l'hôtel, lui demandant pourquoi elle avait fait un tel voyage. Très lucide, elle m'a répondu : « Pour que vous puissiez aider des parents à accepter l'inacceptable et, aussi, pour que Caroline ne souffre pas. »

Environ trois semaines après, la grand-mère me téléphone, me disant de prier. Caroline allait partir dans les bras de sa maman qui la berçait.

Le temps passe. L'année suivante, après une conférence dans une ville où séjournait la famille, la maman demande la parole pour témoigner de ce qui s'était passé, après cette soirée de prière. Elle a expliqué que, depuis ce jour-là, la petite avait parlé de Jésus, et acceptait de manger et boire, le soir, à 20 h 30, au moment de la prière. Imaginez mon émotion et celle de la salle entière.

Le lendemain, je roulais sur une route à grande circulation, pour faire une autre conférence, lorsqu'une voiture me dépasse et s'arrête. Je vois avec stupeur la maman de Caroline descendre, en me disant :

LES ENFANTS DE LUMIÈRE

— Maguy, dans mon émotion, hier au soir, j'ai oublié quelque chose d'important.

— Mais comment avez-vous fait pour me retrouver? lui dis-je.

— Très facile! je l'ai demandé à Caroline, elle m'a guidée!

Charles

Des parents racontent qu'ils ont reçu, un jour, une lettre bizarre, de leur fils qui faisait son service militaire dans la marine, sur le porte-avions *Clemenceau*.

Ils ont été si surpris par cette lettre inhabituelle, qu'ils ont pensé que ce jour-là, il n'était pas dans son état normal. A la permission suivante, ils n'ont même pas osé lui en parler.

Il a terminé normalement son service, est rentré chez lui, heureux, et, quelque temps après, s'est tué dans un accident de voiture. Leurs fils avait certainement eu une prémonition, un flash... Alors les parents se sont rappelé la lettre. La voici.

« Du porte-avions *Clemenceau*
à bord.

Casablanca, le 19 juin 1987

« Paix à tous!

« Si je me trouve allongé, c'est que je dois dormir, pourtant je ne suis pas fatigué. Il faut que j'écrive ce que je ressens. Il m'est apparu soudain que la prière n'était pas une demande, une quête, une attente, mais un don total de sa personne.

« En effet, Dieu étant parfait, pourquoi serait-il

nécessaire de prier maintenant, pour obtenir le pardon d'une faute passée ? Ce qui est fait est fait, toutes les conséquences sont tirées du fait même de la fin de l'action. La raison ou le tort n'ont aucune place dans la conséquence de l'acte.

« Alors la prière, qu'est-ce que c'est ? Un don de soi ! Pourquoi ? parce que le don de soi remet en cause l'équilibre des forces qui jouait à la fin de la faute.

« En effet, à cet instant, où l'on n'était pas conscient du mal qu'on faisait, ou on n'était que trop conscient, et alors notre conscience n'était plus maîtresse de nous.

« Le fait de prier, c'est recommencer l'action comme il aurait fallu qu'elle soit. Il faut alors continuer l'action de la prière par l'action et faire tout ce qui est en notre pouvoir pour réparer nos fautes. Enfin, nous serons pardonnés.

« Mais là où l'action de la prière est encore plus bénéfique, c'est lorsqu'elle ne demande pas un pardon de nos fautes. Là, elle agit pour aider les autres par notre DON de nous-mêmes. Voilà une idée à développer.

« A plus tard. »

Olivier

« A tous les groupes.

« A tous les parents qui ont vécu cette déchirure.

« Après l'espoir de guérison, les messages de départ. En lisant votre dernière ligne, j'ai compris, Maguy, que vous le saviez déjà.

« Olivier, notre enfant chéri de quinze ans, si beau,

malgré son handicap, nous a quittés après une longue maladie.

« Malgré les produits de M. Beljanski, malgré la ferveur de notre merveilleux groupe de Nice, malgré tous les soins, tous nos efforts, notre amour, il est parti.

« Nous avons été merveilleusement entourés par tous les membres du groupe. Olivier a été veillé jour et nuit par des gens silencieux, adorables et dévoués, qui se sont relayés sans cesse auprès de nous. A l'hôpital, dans l'amour, la sérénité, la prière, il a eu un départ digne et, juste avant de s'envoler, un grand sourire pour sa maman. Merveilleux groupe de prière !

« Nous avons été portés, guidés, vers un prêtre fantastique, le père P., qui nous a réconciliés, non pas avec Dieu, car notre force était due à la conviction d'une vie après la mort, dans la lumière et l'amour divin, mais avec l'Église. Il nous a aidés et a accepté de réaliser une cérémonie pleine de sérénité et de joie, avec un immense message d'espoir.

« Olivier est vivant dans sa vie éternelle. S'il a souffert d'une certaine solitude terrestre, due à sa maladie, il n'était pas comme les autres ; deux cent cinquante personnes l'ont accompagné dans un dernier au revoir. Quelle revanche, n'est-ce pas !

« Nous étions tous bouleversés par cet amour autour de lui, les amis, les membres du groupe, les enseignants, ceux qui avaient fait du patterning avec lui, tous étaient là, très étonnés par ces funérailles inhabituelles et pas tristes. Les musiciens étaient là... Un poème, composé par Olivier, a été lu. Personne n'est près d'oublier !

« La mort n'est pas ce que l'on pense. Avec le Dr Kübler-Ross, nous affirmons « que la mort est un nouveau soleil ». Même les incrédules ont été ébranlés.

« Quinze jours sont passés. Il faut affronter et vivre la séparation physique, malgré notre certitude, c'est dur. Je vivais en totale osmose avec mon Olivier.

« Nous œuvrons pour que les travaux de M. Beljanski soient reconnus. J'enseigne de nouveau le catéchisme aux enfants, et j'aide les autres en détresse.

« Après son départ, nous avons eu quelques signes perceptibles de lui. Nous avons entendu, par exemple, à 3 h 30 du matin, une musique wagnérienne. Je voulais ajouter que, même au moment de son opération, nous avons été portés, guidés, par le groupe de prière, et certainement par nos anges gardiens. Ensuite, *in extremis,* le choix de ce prêtre devenu notre ami, et mille détails ont fait que, non seulement notre foi n'a pas sombré mais, bien au contraire, elle a été ravivée.

« Cette expérience changera à jamais notre regard sur les enfants malades et handicapés, porteurs de souffrance, mais aussi d'une infinie lumière.

« Je veux dire aussi à tous les parents qui sont dans cette détresse-là, que du gouffre noir le plus profond, si on cherche Dieu, il est là et nous tend la main un jour ou l'autre.

« Alors, la lumière et son amour nous permettront de continuer tout de même la route le plus vaillamment possible, et du mieux que nous le pouvons.

« La maman d'Olivier. »

Véronique

Témoignage après le départ de Véronique.

« Comment pourrait-on imaginer la tristesse... quand une enfant chérie s'en va pour son dernier voyage ?

240

« Horizon... sans plus jamais de visage,

« Nuit... que l'on voudrait soleil,

« Mort... que l'on voudrait sommeil.

« Comment résister à la douleur qui nous fait tant pleurer ?

« Quand à vingt ans... tout est effacé,

« Quand le plus jamais... s'est installé.

« Comment vivre, continuer si ce n'est par la fraternité de ceux qui tendent leurs mains ?

« En ces jours de trop lourd chagrin,

« Les témoignages sont là...

« Les fleurs apportent, en frissonnant, l'amitié des messages, aux paroles si douces, si pleines de tendresse, devant la détresse.

« Je vous dis... en vérité...

« Merci... Merci à tous. Vous avez été les messagers de la divinité venus apporter votre amour à l'âme envolée.

« Vous avez été la grandeur dans l'immortalité, même si... notre cœur est outragé.

« Vous avez été le gage de la Vie qui continue.

« Merci à vous.

« Les parents de Véronique. »

Céline

En voyant la beauté de Céline (dix ans), le rayonnement qui se dégageait d'elle, le lumineux de ses yeux, j'ai tout de suite « su » que ce serait très, très dur. Elle était déjà trop éthérée pour vivre sur terre. Elle était atteinte d'un cancer de la jambe et sa maman m'a dit : « Vous allez la guérir, n'est-ce pas ? »

Que répondre à cette question : Rien. La guérison n'appartient qu'à Dieu...

Céline est venue me voir quelques fois à Saint-Nazaire-les-Eymes. Son médecin traitant, devant la gravité de son état, l'a fait entrer au groupe. Elle était également suivie à l'hôpital, dans un service spécialisé. Il a été décidé d'envoyer Céline à Paris, pour un traitement, à l'hôpital des Enfants-Malades.

La maman a dû s'arrêter de travailler pour s'occuper d'elle. Le papa était au chômage. Nous avons aidé, matériellement, la maman pour qu'elle pâtisse moins de tous les frais de déplacement : il faut être vigilant, dans les groupes, lorsque des parents sont éloignés de leurs enfants malades, bien des problèmes se trouvent ainsi multipliés.

Je suis allée voir ma petite Céline à Paris, je l'aimais tant ! C'était un bouquet d'amour. Au gros nounours que j'avais dans les bras, cadeau du groupe, l'infirmière a dit : « Encore un pensionnaire de plus ! Avec tout le travail que nous avons ! » Ce qui a bien fait rire Céline.

Avec les jours qui passaient, son état de santé s'aggravait. Elle est rentrée à Grenoble, a passé deux mois à la montagne. Ces deux mois où la séparation de la maman et de l'enfant a été si rudement sentie, et combien regrettée.

Très souvent après, la maman m'a dit : « Si j'avais su ! Si on m'avait dit la vérité ! Je ne me serais pas séparée d'elle ! »

Puis Céline, de nouveau hospitalisée, a disparu quelque temps de notre horizon. Nous avons beaucoup prié et pensé à elle. A partir du moment où des malades, où des parents d'enfants malades n'ont plus envie de nous voir, nous devons respecter ce désir, et ne plus nous manifester, ne serait-ce que pour ne pas les importuner.

Deux mois environ ont passé. Un jour, la maman me téléphone. Céline va très mal, et peut-être parce qu'elle n'était pas en face de moi, elle m'a crié son désespoir et sa souffrance : « Je vous l'ai conduite, vous ne l'avez pas guérie. Je l'ai amenée au groupe, ils n'ont rien fait ! »

J'ai écouté en silence. Les mots sont trop pauvres, trop faibles, trop vides devant la douleur d'une mère crucifiée. Il faut savoir se taire. Le silence, là encore, est utile, plus utile que tout, et croyez-moi, dans ce silence-là, l'amour passe. Après cette explosion de souffrance, elle m'a demandé d'aller voir la petite.

Céline, à l'hôpital, avait dessiné la mer, avec une île. Sur l'île, un arbre, une petite fille et un panneau où était écrit SOS. Céline a dessiné le ciel de la terre noire, avec des oiseaux noirs, l'autre ciel bleu, avec des oiseaux bleus.

Elle établit des fiches de santé, avec des noms imaginés :

DAVID — 10 ans
8 h 30	Sérum
9 h	on le pique, problème de tuyautage
10 h	Prise de sang
10 h 30	Arrivée des parents
11 h	Chagrin, les parents partent
12 h	Jus de fruits, n'a pas faim
12 h 30	Rinçage du tuyau
14 h	Sieste
15 h	Visite des parents
16 h	Visite des médecins
16 h 30	Radio de la jambe
Les analyses —	Manque de globules

Risque d'attraper toutes les maladies, trop de médicaments dans le corps. Les médecins ne peuvent pas guérir cette maladie.

Céline savait...
Je rejoins tout à fait le Dr Kübler-Ross, les enfants savent...
Dans sa dernière composition française, à l'école, elle a raconté qu'elle ne pouvait pas traverser la rivière, les eaux montaient. Un ami est venu la chercher et l'a fait traverser dans sa barque... cruelle traversée du Styx...
Sa maman n'est pas croyante. Il est bien difficile de parler. Après le départ et la souffrance affreuse, elle est venue de temps en temps me voir. Elle est venue apporter sa présence au groupe pour d'autres mamans et, un jour, elle a donné son témoignage.
Je vous le livre dans sa grandeur et sa noblesse.
« ... Céline est partie en juin 1987, après quatorze mois d'espoir : elle avait douze ans. Sa maladie et son départ ont bouleversé ma vie et ma pensée. J'ai longtemps cherché un sens à cette mort, et je n'en ai pas trouvé, mais j'ai compris que la réponse à mes questions, c'est le temps.
« Quand la mort vient, c'est le temps de réaliser qu'elle ne peut plus vivre et qu'elle se libère de ses souffrances. Après, c'est le temps de la TORPEUR, où l'on n'arrive pas à pleurer tant le chagrin est immense.
« C'est le temps du petit lit sous les fleurs et cette longue procession pour sa chambre éternelle. C'est le temps de comprendre qu'on ne pourra plus l'aider à faire ses maths. Le temps de crier son désespoir et sa solitude. C'est le temps de l'album photos et des souvenirs qui se mêlent, désespérés, merveilleux.

« Quand les larmes viennent, c'est le temps de diriger sa pensée sur n'importe quoi : un chien qui traverse la rue, une affiche publicitaire, pour que ces yeux embués retrouvent leur discrétion habituelle face au regard des autres.

« Puis vient le temps de la renaissance. C'est le temps de s'apercevoir que l'on peut vivre quand même, pour aimer, pour rire, pour apprendre encore. C'est le temps d'oublier et de se dire parfois : " J'ai moins mal, et pendant un moment j'ai pu penser à autre chose. " »

« C'est le temps de retrouver son compagnon que l'on avait perdu dans cette détresse effroyable, et de s'apercevoir qu'il était là, dans l'ombre, envahi aussi par le chagrin, et pourtant présent à tout moment, parfait dans sa dignité. C'est le temps de comprendre combien ils étaient importants, tous ces inconnus de ce rendez-vous mensuel, et comment, par leurs présences, ils m'ont donné d'humilité !

« Le temps de se rappeler combien ils étaient humains et généreux, tous ces médecins, dans leur acharnement à vouloir la guérir. Le temps enfin de rassurer tous ceux qui m'aiment, pour lesquels j'ai une reconnaissance sans borne et pour leur dire : " Merci à vous, maintenant je vais mieux, même si je reste encore et toujours. "

« La maman de Céline. »

Fatima

Le soleil venait de se lever. J'étais aux Eymes, et je vois, assis au pied d'un arbre, un petit groupe. Il était 8 heures du matin. Fatima entre dans notre vie, c'est une petite métisse, maman blanche, papa noir. Une longue histoire d'amour commence ce jour-là entre elle et nous. Nous, c'est-à-dire plusieurs personnes du groupe.

La première chose qui me frappe est sa beauté. Elle a treize ans. Bien d'autres choses vont me surprendre. Avec Fatima, tous ceux qui l'ont approchée, aimée, vont faire connaissance avec le courage et la grandeur qui n'ont pas d'âge.

Elle était atteinte d'une grave maladie. Nous l'avons accompagnée avec notre amour pendant environ deux ans. Elle est partie au pays du soleil.

Les parents venaient du Cameroun. Le papa, médecin, avait entendu parler de moi dans un congrès médical et avait décidé de la faire traiter à Grenoble, afin que le groupe et les prières constituent des atouts de plus.

La première chose que nous avons faite a été de lui offrir un poste de télévision, afin que les heures passent plus vite pendant le séjour hospitalier.

Les parents, étrangers, trop seuls, trop désemparés, ont été recueillis par un membre du groupe, et pour que Fatima puisse trouver un foyer en dehors de l'hôpital, entre chaque séance de chimiothérapie. Puis un appartement leur a été prêté par un autre membre du groupe, pour qu'ils se sentent plus libres et chez eux, devant l'aggravation de l'état de santé de Fatima.

Pendant la lourde thérapie qui la fatiguait beaucoup, elle a préparé et passé son bac avec succès.

Fatima disait : « J'offre mes souffrances pour tous les enfants d'Afrique qui ont faim, je n'ai jamais eu faim. »

Elle écrivait des poèmes.

... « Je dédie ce poème à tous mes amis, tous ceux qui m'ont connue et qui savent ce que j'ai reçu, mais surtout à tous ceux qui aiment la vie et qui la trouvent

246

trop dure. Je veux parler de ceux qui savent qui je suis, et qui n'auront pas le temps d'apprendre vraiment à me connaître.

Oublions tous nos regrets, et recommençons à rêver. »

Lettre de Fatima.

« Je viens vous dire merci, peut-être pas avec de grands mots, mais ceux-ci viennent du fond de mon cœur. Merci de nous aider, de nous épauler, de nous entourer comme vous le faites. Le plus grand don que l'on puisse faire à quelqu'un d'autre, c'est l'AMOUR dont j'ai été entourée par le groupe, même ceux que je n'ai pas vus, mais surtout (je m'en excuse) ceux que j'aime énormément, Maguy, Daniel, Françoise. Je n'oublie pas ma Marie-Chantal qui sait si bien me comprendre, Monique, Yvette, et tous les autres à qui je ne pourrai jamais rendre tout ce qu'ils m'ont offert avec un si grand amour.

« Merci à tous,

« Fatima. »

Précieuses perles de souvenirs que nous gardons religieusement.

Fatima m'a offert sa photo, prise avant la chute des cheveux, elle a marqué derrière : « A Maguy que j'aime en souvenir... de moi. »

Au moment des grandes douleurs, elle se mordait les mains pour ne pas que ses parents l'entendent. Son père s'est battu, désespérément, jusqu'au bout. Ce n'était plus le médecin, mais le papa qui voulait garder, à tout prix, sa fille unique.

Dans la nuit, ils m'ont appelée. Françoise, ma fille, était déjà là. Fatima est partie vers 4 heures du matin, envolée dans notre prière fervente. Toute la journée, jusqu'au dernier souffle, son père a continué d'essayer une « survie du corps » avec des moyens dérisoires, farouchement, pour quelques inspirations de plus...

Il en savait très bien l'inutilité, il savait très bien mon désaccord silencieux « mais, m'a-t-il dit plus tard, en tant que médecin, en tant que père, en tant que musulman, je ne pouvais pas faire autrement ».

La veille de son départ, Fatima a dit à son papa :

— Sais-tu où se trouve la vallée du Grésivaudan ?

— Non, dit le père étonné. Pourquoi me poses-tu cette question ?

— Pour rien.

Saint-Nazaire-les-Eymes, où j'habitais autrefois, est dans la vallée du Grésivaudan. Les parents de Fatima décident de laisser son corps à Grenoble, mais étrangers, quelques problèmes se posent pour l'achat d'une tombe. Il est inhumain de laisser s'éterniser cette cruelle situation. Nous avons offert une place, dans notre tombe familiale, à Saint-Nazaire, dans la vallée du Grésivaudan.

Accompagnée de tout le groupe présent, grande famille autour des parents, elle est partie un jour de soleil, dans une si belle robe blanche de petite mariée. Elle avait seize ans.

Mon enfant de lumière, chanté par nous tous, a remplacé les orgues d'une cathédrale. De chacun de nos cœurs, une étincelle d'amour a germé, pour lui tracer un chemin d'étoiles jusqu'au ciel.

Quelque temps après, j'ai reçu cette lettre de son père, que je vous livre, avec son autorisation :

« Nous sommes rentrés à Yaoundé, le 1er novembre. Inutile de vous dire notre souffrance en ouvrant la chambre de Fatima, malgré notre préparation psychologique ; pourtant nous sommes très conscients de la présence de Fatima, surtout la nuit, nous la savons vivante.

« Ma femme et moi sommes de religion différente, ce qui signifie que nous sommes très tolérants et ouverts d'esprit. Comme Africain intellectuel et musulman, je suis à la croisée des chemins. En Africain, l'émotionnel, l'irrationnel, la croyance en la survie sont parfois en conflit avec l'intellectuel, façonné sur le mode cartésien. En cela, le contact avec le groupe de prière de Grenoble a été si positif, il a harmonisé mes différents états d'âme, plus de problèmes. Le musulman que je suis se soumet à la volonté de Dieu.

« Être musulman veut dire, comme l'enseigne le Coran, croire en la survie, à l'invisible, à la vie après la mort, supporter avec patience les épreuves de la vie et toujours faire le bien. A côté du malheur se trouve le bonheur. Tout cela pour vous dire, que votre groupe et ses actions de vie m'ont énormément apporté, en me confortant dans mes croyances, et en réconciliant en moi l'intellect et la foi.

« Ma femme a refusé l'éventualité de la mort de Fatima. Jusqu'au dernier instant, elle a cru à un miracle. Dieu merci, grâce à l'aide des membres de votre groupe, elle a, sans révolte, supporté le déchirement de la séparation. Elle a eu courage et dignité, même si les larmes coulent et le vide est immense.

« Fatima a toujours été, pour nous, un Esprit supérieur. A deux ans, quand elle voulait que je lui joue du piano, elle feuilletait, avec rapidité, le livre de solfège, jusqu'au morceau choisi. A trois ans, elle a appris à lire dans des livres, avec une rapidité extraordinaire. A ce moment-là, elle parlait français correctement, utilisant des subjonctifs, comme si c'était sa première langue. Plus grande, elle savait faire la synthèse des religions différentes, sans contradictions apparentes.

« Elle adorait ses parents. Elle a, grâce à sa foi, supporté avec courage et soumission des souffrances affreuses. Elle n'a jamais blasphémé, ni été découragée, se souciant sans cesse de nous ménager.

« Elle a lutté jusqu'au dernier souffle, son seul regret étant de ne pas pouvoir nous aider. A ce moment-là, elle savait bien des choses... qu'elle ne disait pas, pour nous épargner.

« Un soir, elle m'a demandé brusquement où était la vallée du Grésivaudan, sans répondre au pourquoi de ma question. Tant de phénomènes vécus se sont produits avec elle, si frappants, si forts, depuis son départ, dans leur simultanéité. Ils nous aident à supporter notre peine.

« Je ne sais comment vous exprimer notre gratitude, pour votre soutien matériel, moral, spirituel. Yvette, Marie-Chantal, Françoise, Monique, Vincent, le Dr Philippe, il n'y a aucun mot devant tant de dévouement.

« Quant à vous, Maguy et Daniel, en acceptant que le corps de Fatima repose auprès des vôtres, nous vous avons, à tout jamais, inclus dans notre famille. Dieu seul peut vous le rendre. Que tous ces liens créés et indissolubles nous fortifient dans notre foi en Dieu, nous guident dans ce droit chemin, toujours.

« Nous vous embrassons très fort. »

A l'hôpital de Grenoble, Mme le Pr Bachelot a créé une association qui s'appelle « Locomotive ».

« Locomotive » a pour but d'aider les enfants hospitalisés et surtout leurs parents.

LES ENFANTS DE LUMIÈRE

Le Dr Bachelot, peut-être parce qu'elle est une maman, vit la souffrance de chaque mère, se bat de toute sa science, mais aussi avec tout son amour pour la guérison de chaque enfant.

Parce qu'elle est croyante, prie et puise dans sa foi la force de vivre chaque départ.

Un soir, au cours d'une intervention, dans l'Association, où je devais parler de notre travail, j'ai reçu comme un cadeau ce poème que j'aime.

ENTRE TES MAINS

J'ai tout remis entre tes mains :
Ce qui m'accable et qui me peine,
Ce qui m'angoisse et qui me gêne,
Et le souci du lendemain.
J'ai tout remis entre tes mains.

J'ai tout remis entre tes mains :
Le lourd fardeau traîné naguère,
Ce que je pleure, ce que j'espère,
Et le pourquoi de mon destin.
J'ai tout remis entre tes mains.

J'ai tout remis entre tes mains :
Que ce soit la joie, la tristesse,
La pauvreté ou la richesse,
Et tout ce que jusqu'ici j'ai craint.

J'ai tout remis entre tes mains,
Que ce soit la mort ou la vie,
La santé, la maladie,
Le commencement ou la fin.
Car tout est bien entre tes mains.

Marie HENRIOUD.

LA JOURNÉE D'AMITIÉ

Ils étaient tous là. Des milliers d'amis, le sourire aux lèvres, le soleil dans les yeux, pour participer à la journée de L'AMITIÉ.

Dès sept heures du matin, les troupes d'accueil étaient sur le terrain. Les centaines de membres des groupes de Grenoble, avec leurs brassards rouges. Les médecins, infirmières avec leurs brassards jaunes et bleus, pour recevoir tous ces pionniers de l'amour universel.

Une pareille manifestation demande une organisation très stricte, où les règles de sécurité doivent être soigneusement respectées.

Les premiers cars, ceux qui ont roulé toute la nuit, arrivent les uns après les autres.

L'immense place couverte, à ALPEXPO Grenoble, qui nous a été attribuée, se remplit peu à peu.

Avec tous les baisers pleins de chaleur, les cris de joie, de bienvenue, chacun s'installe pour célébrer la fraternité des hommes. Les sourires sont chauds. C'est comme si... tout le monde connaissait tout le monde

Les caméras sont là, avec Kheira.

Quelques mots pour vous présenter cette jeune femme de parents musulmans. Ayant depuis longtemps perdu toute foi en Dieu, elle a reçu un choc en lisant

LA JOURNÉE D'AMITIÉ

Médecins du ciel, Médecins de la terre. Elle a voulu nous connaître, a retrouvé, avec le sens de la prière, le chemin de l'espérance, et aussitôt a voulu faire passer le message : « Aidons-nous, aidons les malades. Donnons-nous la main malgré les différences. »

Comment ? Tout simplement, en filmant, pour montrer à tous ce qu'on peut réaliser avec de la bonne volonté.

Avec tous ces techniciens, avec leurs appareils, avec les fils qui couraient partout, avec ses yeux indiscrets, des vidéo-cassettes [1] vont témoigner des documentaires que vous verrez à la télévision, et peut-être plus tard en film, pourquoi pas ?

Il a bien fallu la matinée pour que chacun trouve sa place. Nos badges ont circulé — notre chaîne de mains unies — et se collent sur la vitre arrière des voitures. Quand, sur la route, vous en verrez un, klaxonnez ! C'est un ami !

A midi, grand repas fraternel. Tous partagent le pain, le gâteau, le café. La foule est de plus en plus dense. Le bonheur est palpable « dans l'air » que nous respirons.

Les amis arrivent de partout : Paris, Lyon, Toulouse, Perpignan, Strasbourg, etc.

De tous les pays : Allemagne, Belgique, Suisse, Argentine, Pays du Maghreb. Les Touaregs, fiers et droits dans leurs burnous blancs.

Le Cambodge, le Viêt-nam, le Liban participent... et tant d'autres, il est impossible de tous les citer.

Un car arrive d'Espagne, mais trop bondé, des voitures ont suivi.

---

1. *Cf.* adresse de Kera-Films en fin d'ouvrage.

Avec l'Espagne, c'est aussi une belle histoire qui se vit :

Une jeune femme de Barcelone était venue, une année, participer à notre journée d'Amitié. Bouleversée par ce qu'elle a vu, entendu, elle décide aussitôt, tout comme Kheira, d'y participer, à son niveau.

Avec ses moyens, elle crée une maison d'éditions « Luciernaga », qui veut dire « Ver Luisant ». Le petit ver humble et lumineux qui fait son chemin dans l'herbe, sans bruit.

Elle achète les droits de mon livre aux Éditions R. Laffont et aussitôt, l'Espagne crée aussi ses groupes d'accompagnement.

Du podium, je regardais tous ces hommes, ces femmes, venus de si loin, pour simplement témoigner de leur espérance, de l'amitié au-delà des frontières, pour prendre et tenir la main de l'autre.

Je regardais ces mains blanches, jaunes, noires, et une boule montait dans ma gorge...

Si demain...

Si un homme seul peut vouloir faire la guerre,

Si un homme peut faire trembler tant de mères,

Pourquoi, mon Dieu, des milliers d'hommes de bonne volonté ne pourraient-ils vouloir et pouvoir faire la paix ?

Etty m'a dit un jour : « Ce sont les pensées de haine, d'envie, de méchanceté, de jalousie qui alimentent les forces négatives. Si chaque homme conscient émettait chaque jour une pensée d'amour, priait une seconde, tous les jours, pour la paix, une seconde seulement par jour, il n'y aurait plus de guerre. »

Avons-nous le droit de ne pas y penser ?

Vers 14 heures environ, chacun est prêt à partager,

dans son cœur et son âme, sa prière, son offrande, pour aider la détresse de la terre.

Dans le silence, qui s'installe doucement, un médecin nous lit un texte de Pierre Radisson, qui exprime, dans sa poésie, l'idéal d'un « soignant ».

« Croire, tout d'abord, qu'à travers soi peut transparaître un plus grand que soi-même

— Puis demander le don de transparence pour devenir passage de lumière

— S'oublier totalement pour n'être plus que le canal par lequel Il agit, Il réconforte, Il guérit

— N'être que transparence pour que Lui TRANS PARAISSE

— Demander alors le don de pauvreté pour que rien de superflu n'altère cette transparence

— Plus on s'oublie, plus on s'épure pour devenir infiniment présent à toutes choses, pour que sa Présence se manifeste

— Devenir transparence et acquérir le discernement du cœur pour vivre le quotidien

— Transparence de soi-même sous le regard de Dieu

— Transparence de soi à soi-même

— Transparence de la relation à l'autre

— Accepter de semer sans avoir le fruit

— De soigner sans connaître la guérison

— De prêter notre terre à celui qui féconde

— Alors nous connaîtrons la joie ineffable du Serviteur

— Serviteur par excellence qui apporte le soir, dans le secret de la prière. »

Pendant la lecture, chacun élève sa pensée. Le croyant prie.

Comme j'aurais voulu avoir les yeux de nos anges de lumière pour regarder l'ineffable, l'incroyable.

Regarder le cœur battant la prière du juif, celle du chrétien, les versets du Coran, la méditation du bouddhiste, la pensée d'amour des incroyants, l'espérance des malades, toutes ces vibrations qui montaient vers Dieu.

Regarder ces ondes lumineuses radieuses, construisant les côtés d'une pyramide qui s'élevait à l'infini dans le ciel.

Imaginez, il faut bien rêver de temps en temps. Les forces spirituelles du sur-monde, au-dessus de nous, venant prier avec nous, pour eux.

Quel spectacle inattendu ! Peut-être le premier, vu de là-haut.

Enfin ! Des hommes différents ne se combattent plus, se donnant la main pour offrir à Dieu le plus beau des cadeaux, un plateau d'Amour pur.

Soyez heureux, vous qui étiez là, d'avoir participé à ce moment précieux qui, un jour ou l'autre, dans cette vie, ou dans une autre, vous sera rendu au centuple !

Ce moment était si fort qu'une malade en fauteuil m'a dit : « J'ai senti des milliers de picotements dans mes jambes paralysées, je voulais me lever. »

Cette première méditation silencieuse a été suivie d'une autre, où chaque pays présent a pu participer, grâce à son représentant. Certains témoignages vécus sont si émouvants qu'ils en sont presque insoutenables.

Ainsi, cette maman qui a vu ses enfants assassinés pour rien... par la sauvagerie des hommes.

Le chant de la trompette qui s'élève, nous emmène alors loin, bien loin de nous-même. Puis c'est la voix magnifique de Kay, notre chanteuse fidèle, venue de Paris, chanter la chanson d'Etty.

LA JOURNÉE D'AMITIÉ

LA CHANSON D'ETTY

Sur les monts du Vercors
Le soleil s'est levé
Les oiseaux chantent encore
Et le sang a séché
Il flotte dans les airs
Comme un parfum d'amour
   Ils étaient là hier
   Ils seront là toujours

Ils chantent dans le vent
Un chant de liberté
Qui berce les enfants
Le soir à la veillée
L'odeur de cette terre
Embaumera toujours
   Ils étaient là hier
   Ils seront là toujours

Etty nous a donné
En leur nom le pardon
La journée d'Amitié
Nos cœurs à l'unisson
Sont porteurs d'espérance
Pour le monde de demain
Respirer le silence
Des chaînes de nos mains
   Ils étaient là hier   ⎫
   Ils seront là toujours ⎬ *bis*
                    ⎭

Colette, la petite cousine d'Etty, nous a ensuite parlé d'elle.

« Je m'appelle Colette. Je fais partie du groupe de Lyon. Je suis une petite cousine d'Etty. Pas la seule, la famille est nombreuse. Je vais vous parler d'elle, comme elle est restée dans le souvenir des siens, particulièrement celui d'Ida, sa cousine, élevée en partie avec elle.

« Le papa d'Etty est mort des suites de la guerre 14-18, et le papa d'Ida était le tuteur d'Etty. Elle était, comme lui, enthousiaste, dynamique, elle avait le goût de l'indépendance, le mépris du conformisme, l'attachement aux défavorisés.

« Etty était résistante, mais sans haine — rayonnante, avec le désir profond d'aider les souffrants. Sa générosité lui a fait choisir d'être assistante sociale auprès des tribunaux pour enfants, et plus tard, infirmière à la Croix-Rouge valentinoise.

« Nous essayons tous, en souvenir d'elle, de pratiquer la justice, la bonté, la fraternité, la générosité. Etty a été un exemple dans le passé. Etty est présente dans le présent, elle nous guide sur un chemin de pardon et d'amour.

« Elle sera là demain sur le chemin de la liberté, avec tous ceux qui sont morts comme elle, pour cette liberté si chère à tous... »

Journée d'Amitié
24 juin 1990, Grenoble.

Un groupe d'adolescents de Cogolin essaient de faire passer un message de fraternité aux jeunes du monde entier.

« Nous marchons sur les pas du groupe de Grenoble, qui nous a fait prendre conscience d'une grande vérité : la fantastique force de l'Amour.

« En cette ère nouvelle qui se lève brillante, sa

technologie inquiétante dans son intolérance, axée sur le mieux-vivre matériel, nous disons à tous les jeunes du monde entier, au-delà des frontières, qu'il faut tisser entre nous un lien d'Amour, entretenu chaque soir, par la pensée, à 20 h 30, lien indestructible, rédempteur et fraternel, pour qu'enfin naissent l'espoir, le partage, la paix.

« Ainsi nous ne serons plus jamais seuls.

« Ainsi la violence s'éteindra.

« Ainsi nous resterons debout, tournés vers la lumière d'un monde où tous les hommes seront aimés et AIMERONT.

« Ainsi la souffrance sera adoucie, portée par tous.

« Ainsi le bonheur viendra en ce monde, puisqu'il sera projeté par chacun de nous. »

Le groupe de Grenoble chante *Mon Enfant de Lumière* en symbiose avec tous les parents qui ont perdu un enfant.

Marie, enfant guérie d'une maladie grave et incurable habituellement, explique pour tous les enfants malades comment elle a vaincu sa maladie, et comment, à chaque séance de chimiothérapie, elle rejetait toutes les petites bêtes qui voulaient la détruire. C'est-à-dire que ce n'était pas du tout le traitement qui provoquait les vomissements, mais les petites bêtes mortes, tuées par le traitement, qu'elle rejetait. Nuance !

Marie, merveilleuse petite fille que j'aime, a aidé, ce jour, un nombre incalculable d'enfants, qu'elle ne peut imaginer, car depuis son intervention, bien des enfants acceptent une thérapie lourde et pénible, avec plein d'espoir.

Françoise Hardy est venue de Paris, entre deux TGV, pour nous apporter son soutien. Je l'ai rencontrée sur un plateau de télévision. Elle avait eu la gentillesse et la générosité de m'inviter à l'un de ses shows.

Françoise Hardy est astrologue, tout le monde le sait, mais sa valeur spirituelle m'a touchée, sa simplicité, son amour pour l'homme m'a impressionnée. Merci, Françoise.

Les artistes peuvent faire beaucoup pour le monde de demain. Les gens ont besoin d'idoles. Si les idoles les emmènent sur un chemin évolutif, ils suivront.

Alain Guillo, otage pris à Kaboul, a parlé de la vie de ceux qui, isolés du monde, peuvent tenir grâce à une aide d'amis invisibles, mais présents — oh combien !

Puis Isabelle et Alain, jeunes mariés de quelques jours, lui noir, elle blanche, ont lu ce texte :

« En ce temps où l'homme a oublié qui était son frère, il serait salutaire de réfléchir tous ensemble. A notre époque, les distances diminuent grâce aux inventions du siècle. Cette rapidité des communications a permis, dans le but de rapprocher les hommes, de les rendre plus solidaires les uns des autres.

« L'homme a pour patrie la terre. Il doit y avoir un patriotisme mondial. Le jour où la notion de fraternité sera introduite dans les cœurs, un grand pas en avant sera fait.

« Le jour où le mot " étranger " n'aura plus aucun sens, il y aura un grand progrès, et les fléaux de l'humanité, avec son cortège de mesquineries, feront place à l'union.

« Les régimes qui veulent instaurer l'amour dans les communautés, prenant pour base l'intérêt, bâtissent sur le sable. Il faut le ciment de l'amour et de la foi pour bâtir sur le roc.

« Réclamez-vous de la tolérance.

« Soyez au-dessus des frontières.

« Soyez l'égal de tous.

« Ayez le même amour pour tous les habitants de la planète, comme pour ceux de votre pays.

« Aidez vos frères, sans distinction de race, de patrie ou de religion. »

Les moments émouvants se succèdent.

Mme Niel, ancienne directrice du lycée Stendhal de Grenoble, apporte sa pierre à l'édifice.

Thierry Casseau, comédien parisien, chante lui aussi l'amitié.

Deux comiques maghrébins nous font bien rire.

Lenny, notre petit trésor, petit garçon malade que nous aimons tous, chante en espagnol la Liberté, accompagné d'un chanteur argentin.

Fête de l'Amitié,

Fête de l'émotion,

Fête du cœur, des mains unies, qui restera un souvenir impérissable.

... Et c'est fini. Devant le nombre des participants qui augmente chaque année, il faut désormais que chaque région, chaque pays organise sa propre fête de l'Amitié.

Cette manifestation devient lourde pour nous, financièrement, mais surtout, chaque groupe pourra se rencontrer. Beaucoup n'ont pas la possibilité d'un déplacement. Ces rencontres mobiliseront donc davantage de bonnes volontés et chacun jouira de son autonomie.

A tous, bonne chance.

Que cette journée de l'Amitié se fête sur toute la terre un jour, que les vibrations émises en cette occasion fassent reculer la haine, le racisme, les engins de guerre.

Beaucoup de réactions, beaucoup de certitude en un avenir meilleur. J'en choisis quelques-unes, fort différentes parfois.

A notre journée d'Amitié, à Grenoble, en 1989, une famille nous a demandé si nous accepterions d'aider François, enfant myopathe, qui vivait à l'hôpital, séparé de ses parents. Une quête fut immédiatement organisée. Nous étions environ quatre à cinq mille personnes. François a pu être appareillé, vivre avec les siens.

Les témoignages, les lettres, les remerciements, se traduisent de toutes sortes de façons :

« Depuis notre rencontre à Rouen, vous ne m'avez pas quittée. Vous m'avez donné cette force dont j'avais besoin, et quand je perds espoir, je pense à vous, cela m'aide à prier. J'arrive à faire des choses que j'imaginais comme des montagnes infranchissables.

« Ce que vous avez fait pour François et les siens, depuis cet immense mouvement de solidarité, est inimaginable. Le bonheur est rentré dans la famille. Outre la mobilité apportée à cet enfant merveilleux de sensibilité et la révélation d'un mode de solidarité et d'amour, ils ne se cachent plus et ne cachent plus François qui parle maintenant d'avenir.

« Si un jour vous pouviez les rencontrer, ce serait pour tous un immense bonheur et une telle joie... »

... Seule je n'aurais rien pu faire pour cet enfant, l'aide a été générale. C'est l'aide des chaînes des mains, l'aide des prises de conscience.

Je ne présente, là encore, qu'un maillon de la chaîne d'amour, mais ce petit enfant, dans sa terrible épreuve, va apporter, aux siens d'abord, et à tous ceux qui l'entourent, l'exemple de son courage. C'est un Enfant de Lumière.

Chacun a vécu cette journée à sa manière.

« Du fond du cœur, merci pour le message d'amour, de fraternité, de générosité que cette fête de l'Amitié a su faire passer à travers ces milliers de personnes, avec tant de simplicité et de sincérité.

« Cette fête est un symbole de prise de conscience. Nous savons, en partant, que nous ne serons plus jamais les mêmes, que notre vie sera liée, désormais, à la Divinité.

« Sans elle, nous ne sommes rien. Avec elle, nous sommes Énergie vivante. Merci à tout le groupe de Grenoble de nous avoir ouvert le chemin de l'espoir. »

Et encore :

« Bravo pour cette fantastique réunion ! A tous vos copains, comme vous dites, merci pour l'immense travail que cela représente. Si seulement les humains pouvaient, nombreux, agir ainsi, il y aurait plus de bonheur sur cette pauvre terre.

« Je veux, après avoir vu ça, que ma vie prenne un sens. Nous allons, mon mari et moi, essayer de vous aider à notre façon. Nos cœurs se sont remplis d'amour. J'ai su par la presse que nous étions plus de cinq mille, c'est merveilleux ! »

« Merci pour cette merveilleuse journée d'amitié.

« Nous étions en famille et mon petit-fils, onze ans, vous a beaucoup ennuyée. Il était sans cesse vers vous. Il avait quelque chose à vous dire : il a perdu son papa, il y a quatre mois. C'est un enfant adopté. Il voulait vous dire merci, parce qu'il a compris que son papa avait revêtu un habit de lumière, et qu'il vivait ailleurs, qu'il était avec lui quand il priait.

« Il était sur l'estrade, et priait avec tous les enfants, de toute son âme, une larme lui a échappé. Un papy lui a donné son brassard rouge.

« Vous m'avez soignée pour insomnie. La première fois, j'ai dormi douze heures. Je vous ai toujours suivie. Je veux continuer à vous donner la main, et répondre à votre sourire. J. »

« Un car a été retenu à Bruxelles pour la journée d'Amitié à Grenoble.

« Après avoir fait connaissance avec nos amis de Namur, Liège, etc. Cette journée de l'Amitié restera à jamais gravée dans nos cœurs. Une telle fraternité aux seules couleurs de l'amour, de la tolérance, est indescriptible.

« Les visages étaient couverts de larmes, tellement gigantesque était le flot d'amour. Ça fait mal d'aimer à ce point... quand on n'a pas l'habitude.

« Au retour, super-forme. Le chant de l'amitié a retenti dans le car. La chaîne de prières a uni nos mains à 20 h 30. Inconnus au départ, sœurs et frères nous nous sommes séparés, à contrecœur, nous promettant de ne plus nous séparer.

« Merci à Grenoble, de la part des amis belges, pour cet amour partagé et réveillé. Dr. A. »

Nos amis belges ont rencontré d'autres compatriotes. Certains sont venus d'Anvers.

« Nous sommes venus, la grande famille d'enfants, encadrée d'adultes. Nous avons chanté de toute notre espérance, donné notre volonté, notre recueillement.

R.V., du groupe de Toulon, nous a offert le voyage dans un car tout blanc, tout neuf, à étage. Le chauffeur avait emporté avec lui son fétiche, choisi par hasard... une abeille[1]! Nous avons été frappés, en premier lieu, par le calme, la dignité, la gentillesse de cette immense foule attentive. On aurait dit la population stable de notre village. On aurait dit la mer... Le parterre d'enfants rayonnants, de toutes couleurs, dont la frimousse grave pendant la méditation donnait la vraie dimension de ce rassemblement.

« Nous étions un peu ahuris, mais le courant est passé. Nous n'avons vraiment réalisé que 48 heures après, compris que nous avions participé à quelque chose de beau, la marche vers la paix des hommes. Les enfants savent que cet avenir repose sur leurs épaules.

« Je suis souvent confrontée à la crasse morale de parents veules et déficients. J'offre votre livre — lu ou pas lu — Dieu ou diable — réincarnation, connais pas — la prière, pas le temps, ça dérange.

« Il y a chez nous trop de séparation entre les riches et les pauvres, ceux-ci souvent trop assistés pour vivre normalement. Cette foule de parents trop aidés pour accepter de travailler. Nous sommes un peu leur " poubelle ". Ils ont tant besoin d'espérance.

« Je leur dis que tous les jours à 20 h 30, pendant une minute, il faut se donner la main et prier. Pendant cette minute-là, tous ceux qui cherchent la lumière, la paix,

---

1. Cf. *Médecins du ciel, Médecins de la terre*, op. cit.

au moins ne tueraient pas, ne tortureraient pas et ne briseraient pas leur prochain. Ils ont besoin, tous, de cet élan d'amour. Il faut qu'ils aient envie d'avancer.

« Votre chanson Mon Enfant de Lumière, je l'ai chantée de tout mon être. Elle m'a rassurée dans la naissance et la mort de ma petite fille. Depuis vous, jamais plus, en rêve, je ne crois déterrer son cercueil pour qu'elle ne pourrisse pas, jamais plus, dans mes nuits, je ne cherche sans répit sa tombe que je ne trouve pas. Je sais maintenant que je suis responsable de sa venue ; que j'ai porté un enfant de lumière, comme un bien précieux qui m'a été confié quelques semaines.

« Les enfants ont créé un mélange de joie, d'ambiance, de chants, de méditation jusqu'à Mezzanne ! Ils parlent de cette journée de l'Amitié avec sérieux et conviction et font partager la prière de 20 h 30 aux copains.

« C'est ainsi qu'ayant interrompu le repas, mais restés à table, nous avons eu du mal à garder notre sérieux devant une petite fille très appliquée, tête inclinée, fervente, les cheveux baignant dans la soupe.

« J'ai entendu N. dire à sa copine qui pleurait le départ de sa maman :

— Si tu pleures, tu l'empêches de vivre sa vie, d'être en paix. Elle te voit malheureuse et ne peut pas te consoler si tu ne l'écoutes pas !

« Et la petite a dit :

— Tu crois ?

« Alors, elle a séché ses larmes et s'est mise à jouer.

« Deux enfants de voisins venaient souvent chez nous, en attendant que maman rentre avec le dernier copain rencontré, l'aînée, devenue trop belle pour les tontons d'occasion, est souvent avec nous.

Nos mains à tous, chaque soir, unies dans la prière.

LA JOURNÉE D'AMITIÉ

Un des frères avait disparu, et beaucoup de petites mains se sont jointes à 20 h 30, pour lui. Il a été retrouvé en train de mendier. Nos mains se sont alors unies de gratitude, nos larmes de joie ont coulé. Merci seigneur ! »

« Je demande tous les jours à Dieu de me préserver de l'orgueil, de rester digne, d'apprendre à aimer et à donner davantage. »

... Il est des témoignages de vie si forts, si purs, si parlants. Il n'est nul besoin de les commenter, il faut simplement se taire et admirer.

« Après cette journée de l'Amitié, je n'aurai jamais plus peur d'affronter l'extérieur. Je regardais les amis du groupe de Grenoble s'occuper de chacun et être près de tous. Les vagues d'émotion se succédaient en moi, de plus en plus rapides, comme pour accoucher de la plus belle journée de ma vie. La plus belle nuit a été celle de la naissance de mon fils.

« J'avais avec moi des amis qui ont perdu un enfant de lumière. J'étais bouleversée de les voir regarder, caresser, embrasser les enfants présents. Merci à tous pour les réponses données, et même pour celles qui ne nous ont pas été données. »

... La journée d'Amitié constitue un choc pour beaucoup.

Voir et toucher de près la fraternité des hommes.

Voir les mains noires, jaunes ou blanches unies dans l'espoir du même rêve : **L'Amour entre tous les Hommes.**

« J'ai eu une prise de conscience à la journée de l'Amitié. Je fais partie d'un groupe, nous prions pour les malades, la souffrance du monde, les guerres, les enfants handicapés, etc. Mais mon raisonnement me dit : Dans la totalité de l'homme il y a le corps, le psychisme, l'âme, mais aussi le végétal, l'animal.

« Il faut donc prier pour la planète qui souffre, les forêts détruites, les arbres, les fleurs, qui sont des êtres vivants. Sans eux, l'homme meurt. Les animaux souffrent, certains subissent des expériences de laboratoire horribles. Il faut prier pour la paix dans le monde, y compris pour l'animal, la nature, qui font partie de l'intégrité cosmique.

« Votre journée de l'Amitié m'a plu, parce que l'on pense aux croyants et à la planète, à l'irresponsabilité de ceux qui la peuplent.

« Je suis d'accord avec vous, mais chaque groupe, chaque association a son autonomie, sa liberté de conscience et de travail, et peut-être aussi sa spécialisation.

« Il est vrai que notre belle planète a été faite pour que l'homme y vive bien, en accord avec la nature et les animaux. L'homme a tout pollué et ne cesse de détruire. Ceux qui mettent le feu à nos forêts devront répondre de ce crime qui pèsera très lourd.

« Quels remords, quelle souffrance ils connaîtront. Pas vus, pas pris, pensent-ils. Ils ne savent pas, les malheureux, que nous devons payer et racheter, jusqu'au dernier iota, nos actes malheureux. Il faut bien grandir un jour ou l'autre, ici ou là-bas, et si l'irresponsabilité n'était pas punie, malheureusement les responsables ne grandiraient jamais. »

« Vive la Vie !
Vive l'Amitié !
Vive la Paix !
Nous sommes repartis de Grenoble heureux.

Envoyez-moi, s'il vous plaît, votre chanson " Mon Enfant de Lumière ", pour l'offrir à des amis qui ont perdu un enfant. »

LA FIN DU VOYAGE

Vivez tous les jours
De votre vie comme si
Vous ne deviez jamais mourir

Vivez tous les jours
De votre vie comme si
Vous deviez mourir demain

Mahomet

Quand vient l'hiver, les arbres dépouillés tendent leurs bras squelettiques vers le ciel. Mais au printemps, la sève monte de nouveau, l'arbre renaît. Il se couvre de feuilles, en attendant les fleurs et les fruits. Ses ramures abritent les nids, le chant des oiseaux. Il projette son ombrage pour protéger du soleil trop ardent l'ami qui vient s'asseoir à ses pieds. Ainsi va la loi de la nature.

Quand arrive la saison des cheveux blancs (s'il en reste) pour l'homme, il doit pouvoir regarder paisiblement derrière lui, et se dire :

Quel a été mon parcours ?

Qu'ai-je fait de ma vie ?

J'aurais pu mieux faire, peut-être...

Ou alors, souvent : si j'avais su...

Celui qui dit, avant le départ, si j'avais su... pour lui,

ce n'est pas trop tard. On peut toujours..., il ne faut jamais attendre le lendemain.

Autrefois, les grands-parents mouraient dans leur lit, chez eux, près de leurs petits-enfants qui jouaient dans leur chambre pour leur tenir compagnie. Ils partaient peut-être un peu plus tôt, un peu plus jeunes, mais dans leur environnement, souvent paisiblement, entourés des leurs. Ce n'était pas toujours facile, ni parfait, dans les villages de campagne par exemple, et ailleurs aussi certainement !

Lorsque le père Jean, à quatre-vingt-huit ans, a « attrapé » sa pneumonie, dans le village de mon enfance, il était seul toute la journée, ses enfants étaient aux champs, avaient énormément de travail. C'était la « saison des moissons » ; mais deux fois par jour ils lui apportaient sa soupe. De son lit, il voyait, il entendait, il n'était pas coupé des bruits habituels de la vie, et chaque fois qu'il se savait seul à la maison, il allait « chaparder » quelques œufs, pour les gober.

Autant en profiter jusqu'au bout ! Il savait bien qu'il allait mourir bientôt, c'était dans l'ordre des choses...

Le père Jacques était mort depuis trois semaines. Je passe un soir voir ses enfants et les trouve en larmes. Très étonnée et émue, je pense qu'ils sont plus sensibles, mais je comprends vite que le chagrin n'est pas motivé par ce que je croyais.

— Viens voir ! me dit le fils, mon chien de berger qui menait tout seul le troupeau s'est battu avec un autre chien et s'est fait une hémorragie. S'il crève, qu'est-ce que je vais faire ? Tu peux le soigner toi ?

— Non, répondis-je, il faut appeler le vétérinaire et lui faire une piqûre hémostatique.

— Comment dis-tu ? Est-ce que ce sont des piqûres

pour arrêter le sang de couler ? J'en ai à la cave. Le docteur nous en avait donné pour le père, mais il était si vieux, on n'allait pas encore le faire souffrir avec des piqûres !

Et devant mon ébahissement, il va me chercher la boîte *intacte*.

Puis il est allé chercher la bouteille de bon « vin vieux » qu'on avait offerte au père, pour en donner une gorgée à son chien !

La mère Félicie, elle, avait souffert d'un terrible œdème dans ses dernières heures, et sa belle-fille, très fière, disait aux premiers voisins venus apporter l'eau bénite :

« Regardez comme je l'ai bien nourrie, bien soignée, regardez comme elle est grasse ! »

Ces histoires un peu cruelles le sont-elles plus que celles des personnes âgées qui meurent dans des mouroirs ? La vie moderne a volé la plupart des vieillesses et des morts de nos aînés.

Si les enfants apportaient deux fois par jour la « soupe » pour calmer l'estomac, le cœur ne serait-il pas moins douloureux ? Il n'y a plus de place pour les anciens dans les petits appartements des villes. Les enfants n'ont plus besoin des mamies pour déjeuner à midi : il y a les crèches, les cantines, etc. Les enfants aussi sont frustrés de la tendresse, de cet amour, que rien ne remplacera. Ils ne connaissent pas, pour la plupart, le goût des confitures de mamie. Ils voient le peu de temps, le peu de cas, que leurs parents témoignent à ceux qui les ont élevés. La roue tourne et ils déposeront à leur tour ces encombrants vieillards, dont ils ne sauront que faire, un jour, dans des « dépotoirs de fin de vie ».

La première fois que j'ai vu, dans un hôpital psychiatrique, des vieillards en salle commune, vivre avec de grands malades, parce qu'il n'y avait de place nulle part ailleurs, j'ai eu un terrible choc. Une société qui ne respecte plus les règles élémentaires de respect et d'amour que l'on doit aux anciens est une société en pleine décadence.

Chez les gitans, dans beaucoup d'autres peuples, le vieillard est le sage qui a connu, entendu, vécu tant de choses, pendant tant d'années. On vient le consulter. Il est un peu le conseiller de la tribu. On ne l'abandonne pas.

Mais, pour être tout à fait juste, je dois ajouter que bien des gens âgés sont acariâtres, n'ont pas d'amis, pas de sagesse, et n'ont peut-être pas mérité cette plage de repos, de tendresse, de sérénité, que peut constituer la dernière phase du voyage terrestre avant de prendre l'envol.

Avant de terminer ce modeste ouvrage, écrit en hommage à tous ceux qui ont partagé leur expérience de vie avec moi, dans le but de mettre en commun avec d'autres les chagrins, les joies, les espérances de tous les jours, ce sont eux que je veux remercier.

J'ai compris, à travers tous ces témoignages, que pour grandir, il faut passer quelques portes qui se présentent à nous, tout au long d'une vie.

Quel que soit notre statut social, que nous soyons riches ou pauvres, les épreuves et les bonheurs sont sensiblement les mêmes.

La porte de l'Amour.

L'amour aide à vivre, l'amour aide à mourir.

La porte de la Tolérance.

Ne juge jamais celui qui est différent, il a peut-être, aux yeux de Dieu, plus de valeur que toi.

La porte du Partage.

Si tu sais donner sans regret de ton nécessaire, tu recevras au centuple, tu deviendras riche.

La porte de la Joie.

Si tu es en accord avec toi-même, chaque lever du jour mettra le soleil dans ton cœur.

La porte de la Sagesse.

Si tu crois en la vie éternelle, sache que la prière est le fil d'argent qui relie les cieux et la terre.

Selon le caractère humain, un petit bonheur peut devenir une grande joie, ou être trop modeste pour qu'on le voie.

Un pigeon blessé est venu cogner ma porte. Il était sauvage et avait peur de moi. Je l'ai accueilli dans ma cuisine, nourri et réchauffé plusieurs jours, en le respectant, sans trop m'approcher pour ne pas l'effaroucher.

Il commençait à aller mieux, il s'est envolé, l'ingrat, dès qu'il a pu, sans me dire au revoir...

Combien de petits pigeons blessés nous avons tous rencontrés dans notre vie ? Avons-nous su les comprendre ?

Sommes-nous capables de leur envoyer une pensée d'amour, quand leur image revient dans notre souvenir ?

ENVOI

Je ne peux terminer ce livre sans un clin d'œil à Lény, sans un au revoir plein d'émotion, d'espérance. Lény, notre enfant-mascotte que nous avons aimé pour cette immense joie qui l'habitait mais aussi pour ce courage fantastique, ces moments privilégiés qu'il a su nous faire partager. Il nous restera, pour tout le groupe de Grenoble, l'image de Lény debout sur la table, à la fin de la réunion de prières, envoyant des baisers : « Je vais bien ! »

Lény, penché sur un petit enfant malade, l'embrassant.

Lény, chantant la liberté en espagnol, avec son copain argentin, à la fête de l'Amitié.

Lény avait dix ans d'âge ; Lény avait cent ans de sagesse.

Drôle et fascinant petit bonhomme ! Lény a imposé le respect et l'admiration des grands.

Toutes ces prières, tout cet amour qui t'ont accompagné ont fait qu'aujourd'hui nos larmes sont transformées en fleurs, roses de nos jardins secrets, au parfum inoubliable. Tu étais trop lumineux, trop gai pour notre tristesse !

A Lény, qui dans sa main d'enfant serrait la queue de sa peluche.

A Lény qui me souriait avec ses yeux d'adulte, je dis : « Salut, Lény! Du haut de ton étoile, la plus brillante du ciel, envoie-nous ta force! »

La maman de Lény a tenu, à son tour, à envoyer à son enfant ces mots, si pleins d'amour et de fierté :

« Lény, mon amour, en te regardant mourir, je m'étais promis d'écrire pour me souvenir, me souvenir pour vivre encore. Je m'étais promis de rendre hommage à ton courage qui m'a tant aidée, toujours partagée entre la révolte et l'espoir, pendant ces longs mois de combat. Je sais qu'aujourd'hui tu reposes en paix.

« Tu restes ma force : je vis encore par toi et pour toi, ta chaleur me réchauffe. Je sais que tu ne me quitteras pas car tout me parle de toi.

« Petit prince magique, comme dit ta petite sœur, tu rayonnais d'affection, de joie, de joie de vivre. Tu étais bon pour nous apprendre à l'être. Tu étais la paix, sans le savoir.

« Je suis fière que tu m'aies choisie comme mère. Ces dix ans à tes côtés ont été uniques.

« Tu nous as laissé une grande réflexion sur la vie.

« Ton souvenir restera lumineux dans nos esprits.

« Ta maman. »

A.P.R.E.S.-GRENOBLE

Vu le nombre de participants à notre groupe, un règlement intérieur est nécessaire à son bon fonctionnement.

1° *Présence obligatoire :*

Deux réunions par mois. Si pour des raisons personnelles, certains ne peuvent assister qu'à une réunion, le signaler au bureau, en début d'année.

2° *Plusieurs absences non notifiées dans l'année sont éliminatoires.*

Sauf cas de force majeure, les absences doivent être signalées à l'avance.

3° *Les réunions.*

Elles sont toujours aux mêmes dates, au même endroit, aux mêmes heures, dans la même salle. Cette salle doit être libérée sitôt la réunion terminée.

4° *Chaque personne doit être présente dix minutes avant la réunion.*

Dans certaines salles, il est obligatoire de fermer les portes à heure fixe.

5° *Il est interdit :*

- de divulguer les noms des personnes présentes : malades, médecins, etc.

- de divulguer les diagnostics médicaux, les travaux intérieurs du groupe, les documents qui sont en sa possession.

Il appartient seulement au chef de Groupe de parler au nom du groupe.

AUCUNE DISCUSSION OU RÉUNION SAUVAGE ne peut être organisée sans autorisation du Bureau.

LE MANQUEMENT À L'UNE DE CES CLAUSES EST UN *MOTIF D'EXCLU-SION*.

6° Les cotisations sont fixées annuellement.

Elles servent à couvrir les frais de l'Association et surtout à aider ponctuellement les malades pris en charge par le groupe, dans des situations difficiles, à payer la location des salles.

Préparer ces cotisations à l'avance, dans une enveloppe portant le nom et le mois, les déposer à l'entrée, le troisième mardi.

Malgré leur modicité, elles ne sont pas obligatoires. Il suffit de le signaler pour en être dispensé.

Il existe trois cassettes : « L'Évidence », Kera Media-Films, 18, rue Vieille-du-Temple, 75004 Paris, une cassette : « Daniel et Maguy racontent... », L'Or du temps, 8, rue de Belgrade, 38000 Grenoble.

Adresses des groupes d'accompagnement

Bien souvent, il m'est demandé l'adresse des groupes d'accompagnement.

Il suffit de m'écrire. Je ne donne ici que les principaux, en France et en pays francophones :

Agen
Aix-en-Provence
Ajaccio
Albi
Alès
Ambert
Ambès
Amiens 2
Anglet 2
Angers
Angoulême
Annecy
Antibes
Arras
Aubenas
Aurillac

Bagnols-sur-Cèze
Bayonne
Bergerac
Besançon
Biarritz 2
Bordeaux
Bourg-en-Bresse

Bourgoin
Brest
Brissac
Brive

Caen
Cagnes-sur-Mer
Cahors
Cambrai
Cannes
Carcassonne
Carpentras 2
Castres
Chalon-sur-Saône
Chambéry
Châteauroux
Cholet
Clermont-Ferrand
Cogolin
Colmar
Crest

Dax
Digne

Dijon 2
Douai
Dunkerque

Élancourt
Évreux
Ézanville

Florange
Fougères
Fréjus
Fumel

Gamaches
Gap
Grasse
Guéret

Heaumont

La Mure
La Réunion
Laval
Le Havre
Le Mans
Lesneuven
Le Teil

279

Libourne
Lille
Limoges
Louviers
Lucinges
Lyon 2

Maiche
Marseille 2
Metz
Meudon
Montauban
Montbéliard
Montélimar
Montluçon
Montpellier 2
Mulhouse
Murs

Nancy
Nantes 2
Narbonne
Nice 2
Nîmes
Nogent-sur-Marne
Nyons

Orange
Orléans 2

Pacy
Paris 17
Périgueux
Perpignan
Poitiers 2
Pornic

Reims
Rennes 2
Romans
Roquebrune
Roquefort
Roubaix
Rouen
Royat

Saint-André-sur-Eure
Sainte-Maxime
Saint-Étienne
Saint-Germain-en-Laye
Saint-Jeannet
Saint-Laurent-du-Var
Saint-Maurice
Saint-Maximin
Saint-Nazaire

Saint-Raphaël
Salles
Sannois
Saumur
Sète
Strasbourg 2

Tarbes
Thonon
Toulon
Toulouse
Tours
Troyes

Valence
Vaucresson
Vence
Vernon
Versailles
Veynes
Vichy
Villars-de-Lans
Villars-sur-Goire
Villefontaine
Villefranche
Villeneuve-sur-Lot
Villepinte

Voici les principaux groupes suisses

Bienne
Cortebert
Fribourg

Genève
Gradvaux
Lausanne

Mont-de-Corsier
Montreux
Saxon

Groupes belges

Anvers
Bruxelles 2
Charleroi
Dampicourt

Drogenbos
Gand
Liège
Lillois Witerzee

Namur
Verviers
Waterloo

TABLE DES MATIÈRES

Achevé   Imprimerie
d'imprimer Gagné Ltée
au Canada Louiseville

Du même auteur

MÉDECINS DU CIEL, MÉDECINS DE LA TERRE

Maguy et Daniel Lebrun sont deux êtres peu ordinaires. Maguy est magnétiseuse et "guérisseuse des âmes" (ce qui, souvent, permet aussi de guérir les corps) avec l'aide de ces "médecins du ciel" qui "travaillent" avec elle, lui parlent, lui adressent des messages par le truchement de Daniel, son mari, médium exceptionnel.

Cette histoire folle a commencé un beau jour de mai où Maguy lisait aux côtés de son mari endormi. Soudain, il s'est mis à lui parler avec une voix de femme leur proposant une mission. Ce qui les a conduits à adopter dix-huit enfants, à en parrainer ou épauler une bonne quarantaine, à accompagner des malades en phase terminale et des mourants, à soigner par magnétisme des milliers de gens, à fonder enfin ce groupe de prière qui aujourd'hui comprend plus de quatre cents personnes, dont une quarantaine de médecins qui ont tenu ici à apporter leur témoignage et qui ont totalement adhéré à l'action que Maguy Lebrun mène depuis vingt-cinq ans.

Ce groupe de prière réunit des gens de toute confession, de tout âge, de tout pays.

Être près de Maguy et de Daniel, c'est découvrir la simplicité du cœur, la chaleur humaine, la joie de vivre, la solidarité, et quelque chose qu'il faut bien appeler la Foi, celle qui soulève les montagnes, guérit les corps et les âmes.